新潮文庫

女刑事音道貴子

嗤う闇

乃南アサ著

目次

女刑事音道貴子

嗤う闇

その夜の二人

I

蛍光灯の青白い光が照らし出す、無機的で硬質な警察署の廊下に、その声は異様なほど大きく響き渡った。

「畜生っ！　ぶっ殺してやる！」

ちょうどドアノブに手をかけようとしていた音道貴子《おとみちたかこ》は、反射的に手を止めて、思わず隣を見上げてしまった。

「何だ、まだ落ち着いてねえんだな」

やはり、わずかに口を尖《とが》らせて、面倒くさそうな表情になっているのは、盗犯担当の金井警部だった。四十四、五歳くらいだろうか、かなり大柄な恰幅《かっぷく》の良い刑事で、こうして間近にいると、それだけで威圧感がある。かつては柔道で、警視庁管内でもそれなりの成績を修めていたという話だったが、最近は糖尿病の気が出てきたという噂《うわさ》がある。

「こりゃあ、ひと晩くらい、お泊まりいただいて、たっぷり酔いをさましてってもらった方が、いいんじゃねえかなあ」

「そうなるかも、しれませんね」

泊まりの晩は、日中の勤務態勢とは異なって、警察署内の各係から出ている当番勤務員たちが相互協力してことにあたる。これが、たとえば都心のターミナル駅などを管内に抱えているような、いわゆるマンモス警察署ならば、もともと勤務する警察官自体が多いのだから、夜勤の時にも同じ係から出る者が多くなって当然なのだが、この隅田川東署程度の規模となると、一人ずつが良いところだった。だから、たとえば貴子たちのような刑事が、交通事故の処理を手伝うこともあれば、同じ刑事同士でも、隣にいる金井のような盗犯担当が、暴行傷害の案件を扱う場合も出てくる。

現在の段階では、扉の向こうにいるはずの人物は、まだ身柄を「確保」されているというところまではいっていなかった。ことと次第によっては、少しばかりお灸《きゅう》をすえなければならないかも知れないが、今のところは、単なる気の荒い酔っぱらいといったところだ。それでも、もしもこれで喧嘩《けんか》の相手が男を許さない、訴えたいとでも言い出したら、彼は一転して「被疑者《マルヒ》」になる。

「どうしても許せねえんだよっ！　畜生、あの野郎がよぉっ！」

再び、がなり声が響いた。どうやら、まだ相当に興奮しているようだ。

路上での喧嘩が一一〇番通報されたのは、今から二、三十分ほど前の、午後十一時を回った頃だった。交番勤務とパトカーの制服警察官がそれぞれ現場に急行し、その場にいた男二人をすぐに引き離して取り押さえたところまでは、貴子たちも無線を聞いていたから知っている。

片や五十代、片や七十以上に見える二人は、双方とも明らかに酒に酔っているらしく、まるで興奮が冷めない様子で、それぞれ警察官が抑えつけているというのに、それを振り切ってまで、なおも相手に挑みかかろうとしたらしい。ことに年下の男の方が、「ぶっ殺す」「ただじゃおかねえ」などと物騒な言葉を連発し、さらに、警察官の質問に対して、名前も住所も語ろうとしなかったために、少しばかり面倒になった。ただの酔っぱらいの口喧嘩程度なら、うまくすれば交番で頭を冷やさせて、それで終わりにも出来たところだったろうが、結局、パトカーに押し込んで、警察署まで連れてくることになったのだ。

「でっけえ声だなあ。廊下まで丸聞こえじゃねえか」

取調室に入ると同時に、金井警部が声をかけた。制服の警官に両脇《りょうわき》を固められる格好で、小さな机に向かって座らせられていた男の姿が、金井の後に続いた貴子の視界にも入ってきた。身長は分からないが、多分、小柄だろうと思わせる雰囲気の、痩《や》せた男だった。五十二、三歳といったところか。日焼けしている。髪は短く、ブルーグレーの地に茶と黒の横縞《よこじま》が入ったポロシャツ姿の、一見、職人風。充血した目を異様に見開いて、男は、食いつきそうな表情で金井を見上げた。

「ずい分、よくない酒じゃないか。そんなに暴れたいんだったら、どうだい、俺が相手になろうか？」

だが、金井がのしのしと近づいていくと、その巨体に半ば気圧《けお》されたように、男は急におどおどとした表情になり、やがて、肩をすくめるようにして、うつむいてしまった。彼の視界は、金井で一杯になってしまったのか、貴子にはまるで気づかないように、こちらには一瞥《いちべつ》もくれない。

「まあ、気の毒は気の毒だったわなあ、せっかくいい気分で飲んでたんだろうに。まさか、こんなところまで連れてこられるとは、思わなかったよなあ」

かたん、と椅子《いす》の音を響かせ、金井は「どっこいしょ」と言いながら、いかにも窮屈そうに椅子に腰掛ける。

「だけど、普通はここまで来りゃあ、大概の人は酔いもさめてさ、もう少し落ち着いてくるもんなんだがなあ」

これは、あくまでも取り調べではなかった。だが、さっきまではもっと興奮状態だったから、他の相談事やトラブルで警察署にやってくる一般市民を驚かさないためにも、取調室を使った方が良いだろうと、上が判断した。強いていうならば事情聴取といったところだから、大した記録を取る必要はないのだが、金井の後ろに突っ立っているのも不自然だから、貴子は入り口近くに置かれている、記録を取るための机に向かうことにした。

「じゃあ、あとはよろしく」

それまで男の両脇にいた制服の警察官たちが、連れ立って出ていった。狭い部屋だから、男が二人出ていっただけでも、かなり風通しが良くなったように感じられる。やはり警察官の制服が近くにあったのが窮屈だったのか、男も背筋を伸ばして、ふう、と一つため息をついた。

「それにしても、あれだよ、あんた。あんまり物騒なこたあ言わねえ方が、いいと思うがなあ。こっちだって忙しいんだしさ、そう無粋な真似《まね》だって、したくねえと思ってるのに、だ。そんな、お宅みたいに『殺す』『殺す』なんて連発されたら、『ちょっと、ちょっと』って、お話、聞かないわけにいかなくなっちゃうんだよ。それが、仕事だからさ」

「――すんません」

「第一、相手は爺《じい》さんだっていうじゃないかよ、ええ？　そんな年寄り相手にさ、お宅みたいな人が、どうしてそこまで怒んなきゃ、なんねえのかなあ」

男は、さっきまでの勢いが嘘《うそ》のように、しょんぼりとうなだれて、ただ口の中でもごもごと何事かを呟《つぶや》いている。こういうときに、刑事の外見も商売道具としては大切な要素だと、貴子はいつも思う。ただ存在するだけで相手を黙らせ、おとなしくさせることが出来るというのは、ある意味では羨《うらや》ましいことだ。それだけは、貴子には逆立ちしたって真似が出来ない。それにしても、こんなに立派な体格の刑事が、強行犯の担当でなく、盗犯担当というところが不思議だった。むしろ、外見だけで判断するなら暴力団対策か何かの方が向いているくらいだと思う。

「あのう」

ようやく男が顔を上げる。それにしても、ずい分、顔つきが変わるものだ。貴子たちが取調室のドアをあけた瞬間の、怒りの形相が消えると、男は実に小心そうな、情けない顔つきに見えた。

「向こうは、怪我《けが》は――」

「歯が折れたってよ。口の中も切ってる」

らさあ」
「可哀想《かわいそう》じゃねえかよ。残り少ないそうだぞ。それが、こんなことで折られちまった
「──」
「何に腹が立ったんだか知らねえけど。なあ、あんたみたいな人がさあ、入れ歯して
るような年寄りを、何も本気出して殴るなよ」
「──年寄りだから、何でも許されるってもんでも、ないでしょう」
骨張った肩をわずかに上下させて、男は小声で呟いた。貴子の耳には、その言葉が
よく聞き取れたが、金井は「え」と聞き直した。いかにも格闘技を身につけていると
言わんばかりの、餃子《ぎょうざ》のような形に変形してしまっている耳は、もしかすると、少し
難聴気味なのだろうか。
「何て？　今、何だって？」
「──あんな野郎、可哀想でも何でも、ないんですから」
「ええ？　何だと？」
いや、べつに難聴でも何でもない。金井はわざと、繰り返して同じことを言わせて
いるのだと気がついた。すると、次には怒鳴り声を上げるのだろうか。金井が怒鳴っ

たら、相当な迫力に違いない。

「ちょっとさ、もう一回、言ってみてくれねえかな。ええ？　何だって？」

「何度でも言うよっ！　そうだよ、あんな奴《やつ》、あんなクソじじいの、どこが可哀想だっていうんだ！」

ところが、先に怒鳴り声を上げたのは、男の方だった。やっとおとなしくなったと思ったのに、その表情には再び怒りが戻っていた。

「俺ぁ、べつに逮捕されたって構わねえんだ！　そうだよ、構わねえんだ！　あんな奴、死んじまったって、よかったんだっ！」

「おうい、落ち着けってよ。なあ」

怒鳴るタイミングを逃したらしい金井は、今度は太くて長い腕をぬっと差し出して、男の肩を押さえる。今にも立ち上がらんばかりの勢いで、全身を硬直させんばかりに怒鳴り声を上げていた男が、ぐっと椅子に抑えつけられたのが、傍目《はため》にも見て取れた。

「何を、そんなに興奮することがあるんだよ、ええ？　あんたと、あの爺さんと、どういう関係なんだい」

貴子の位置からは、男に向かって身を乗り出している、金井の大きな背中しか見えなくなった。それにしても、重たそうな腕だと思っているときに「親子です」という男の声が聞こえた。

「なんだぁ？　親子だあ？」

狭い取調室に、金井の声が響いた。

「あんたら、実の親子なのか。実の親子で、殴り合いか？　あんな、町中で。ええ？」

「しょうがなかったんすよっ」

「しょうがねえってさあ。じゃあ、あんた、自分の親父《おやじ》さんに向かって、ぶっ殺すとか、言ってたわけかよ。今どきの、なぁんにも考えてねえガキみてえに」

「だって、親父の野郎、勝手なことばっかり言いやがって、人の気も知らねえで――挙げ句の果てに、俺にはびた一文、遺《のこ》さねえとか言い出しやがって――一体誰が、ここまで親父のあと継いで、一生懸命働いて来たのかって――」

男の声は震えていた。姿勢を元に戻した金井は、今度は椅子が悲鳴を上げそうなほどに、背もたれに大きく寄りかかり、ゆっくりと煙草《たばこ》を吸い始めた。

「あんな、家族中の鼻つまみもんでも、たった一人の親父だと思うから。職人としては、それなりに尊敬できる部分もあると思うから、俺だって我慢してきたのに――おふくろのことだって、死ぬまで泣かせっぱなしだった野郎が――」

要するに、男の怒りの根元は、老父に裏切られたと感じているところから来ているらしかった。そこまで話してようやく、男は金井警部の問いに対して、自分の氏名を桜井忠広《ただひろ》と名乗り、年齢は四十四歳だと語った。意外に若い。今現在、病院で治療を受けているはずの父親の名は忠《ただし》といい、七十二歳になるという。桜井忠広は忠の四男で、兄弟の中で唯一《ゆいいつ》、父親の仕事を継いでいる、錺職人《かざり》の三代目だと言った。

「へえ、錺職人かい。そりゃあ、根を詰める仕事だなあ」

金井は自分の煙草を桜井に勧めながら、「いいねえ、職人か」などと言っている。正直な話、記録をとっている貴子には「かざり」というものが何なのか、よく分からなかった。「かざり職人」という言葉だけは、テレビの時代劇などで何回か耳にしたことがあるとは思うが、そんな職業と、その職人が、現代の東京にも存在するとは思っていなかった。

とにかく、親子揃《そろ》って「かざり職人」の桜井だが、その、職人気質《かたぎ》で真面目《まじめ》一本だった父親が、昨年ごろから年甲斐《としがい》もなく近所のスナックに入り浸るようになったのだという。二年前に女房を亡《な》くして、淋《さび》しい気持ちを紛らしたいのだろうと、当時はひとつ屋根の下に住んでいた忠広たちも、大目に見ていた。ところが、やがて父親は仕事にも身が入らなくなり、さらに家族の目を盗んでは、相当な金額まで、そのスナックのママに貢《みつ》ぐようになってしまった。

「それで、この夏に入る頃に、俺、ついにたまりかねて、言ってやったんです。『親父、いい加減にしてくれよ』って。近所の目もあるんだし、年甲斐もなく、みっともねえ真似してくれるなよって。第一、仕事はどうするんだって」

するとその父親は、自分の人生は自分で決めるなどと啖呵《たんか》を切り、ぷいっと家を出ていってしまった。翌日になっても、翌々日になっても戻らないと思ったら、その女のために、自分が借りてやっているマンションに転がり込んでいた。そして、ついに最近になって、とうとう再婚したいとまで言い始めたのだそうだ。

「すると、親父さんの再婚に反対して、今夜みたいなことになったのか」

金井の質問に、桜井は肩を落としたまま「だって」と呟いた。

「考えてもみてくださいよ。そのスナックのママっていう女は、まだ三十五だか六だっていうんですよ。その上、小学生の子どもがいるんです。それも、二人も。そんな子どもを抱えた若い女が、どうしてうちの親父みたいな年寄りに、本気で惚《ほ》れると思います？」

「そんなこたあ、わかんねえよ」

「ありえねえよ、そんなの。見え見えじゃないですか」

「そうかね」

「親父も親父なんだ。若い頃からワンマンで、縦のものを横にも動かさなかったような親父が、自分勝手でわがまま放題だったくせに、その、てめえの孫より小さいガキに『お菓子買ってきて』とか言われて、ほいほい買い物に行かされたり、飯の支度から洗濯までしてやってるっていうんだから。死んだお袋が見たら、何て言うか。みっともねえったら、ありゃしねえ」

話しながら、桜井は、今度は涙ぐみそうになっている。

「第一、その女っていうのがよ、これがもう、近所の評判がよくねえときてるんですよ。からっきし。俺だって、女房にもさんざん言われたし、そんなコブつきの女でも、親父が本気で惚れちまってて、相手がいい人ならって、まあ、考えなくもなかったけど。だけど、ありゃあ、駄目だ。だまされてるんだよ、完璧《かんぺき》に。うちなんか大した財産だって、ありゃしねえんだから、下手すりゃあ、高い保険でもかけられて、殺されるかも知れねえって」

「おいおい」

「ほんと、そこまでしかねないような女なんですって。とにかくもう、目つきが半端《はんぱ》じゃねえんだから。実際、何でそこの家のガキどもが、うちの親父をこき使うかっていったら、それまで、まるで構われてこなかったからっていう部分もあるらしいんです。それなのに、それなのに――親父、馬鹿《ばか》なんだ。本当に」

畜生、悔しい、と、桜井は握り拳《こぶし》を作ってうなだれる。なるほど、そういうことが原因の親子喧嘩《げんか》だったかと、貴子は密《ひそ》かにため息をついた。

――私たちの出る幕じゃないし、解決のしようもない。

警察には民事不介入という大原則がある。いくら感情的な部分では理解も出来、同情の余地があったとしても、家族の問題で警察官に出来ることはなかった。ただし、このまま放置すれば、明らかに刑事事件に発展しそうだと思う場合は、何らかの措置を考えなければならない。だが、今回の場合、どういう方法が最適かは、貴子には思いつかなかった。

「あんたも苦労するなあ」

金井がゆったりとした構えのままで、意外なほど柔らかい声を出した。本当ですよ、と桜井が呟いた。

「俺は、本当は親父の仕事なんか継ぎたくなかったんだ。だけど、上の三人の兄貴は誰も彼も知らん顔で、親父の仕事を嫌ってた。俺が中学を卒業する頃、あるとき、三番目の兄貴と喧嘩した後の親父が、すごく淋しそうに見えたことがあったんです。それでつい、『俺が継ぐから』なんて、言っちゃって」

ようやく気持ちの安定したらしい桜井は、どこか懐《なつ》かしげな、淋しそうな顔をしていた。

そうこうするうち、一方の父親の様子が知らされてきた。金井が桜井の相手をしている間に、貴子は一度、廊下に出て、その連絡を受けた。

「もう、すっかり落ち着いて、しょげかえってますよ。昔気質っていうか、頑固親父っていう感じの人みたいです」

病院にまでつき添ってきたらしい若い警察官は、張り切った表情でこと細かく報告をする。貴子は、何度もうなずきながら、その報告を聞いた。改めて取調室に戻ると、今度は桜井は、はっきりと貴子の存在に気づいた顔つきになった。

「今夜は、そろそろお宅に戻りたいという話をなさりたくて、電話なさったんだそうですよ、お父さん」

貴子が話しかけると、男の表情に再び変化があった。衝撃を受けたような、信じて良いのかどうか迷っているような、落ち着きのない目つきになる。

「こちらの者が色々とうかがったようですから、本当だと思います。多分、息子さんが感じていらっしゃるのと同じことを、お父さんも感じられたんじゃないですか。その、相手の女性に対して」

「――だけど、親父は再婚して、財産も何もかも全部、あの女と、二人のクソガキにって」

「それは、売り言葉に買い言葉だったみたいです」

父親は、がっくりと肩を落として「みっともなくて、息子に合わせる顔がない」と言っていたらしい。それでも職人としては弟子にもあたる息子に、自分から頭を下げては格好がつかない、どうぞ、お願いですから帰ってきてくださいと言ってもらうのでなければ、容易に敷居はまたげない、などと、今になっても息巻いていると、さっきの警察官は言っていた。桜井忠広に、その様子を聞かせてやると、息子は初めて苦笑した。

「そういうところ、あるんです。でも、さすがに親父も歳《とし》なのかな。殴ったときの手《て》応《ごた》えがね、びっくりするくらい、弱々しかったですよね」

気持ちも落ち着き、誤解もとければ、あとは警察の出る幕ではなかった。

「頼むよ。仲良くしてくれよ」

少しばかりきまりの悪そうな顔で再会した父子《おやこ》は、やはりよく似た雰囲気だった。警察署の前で、金井に背中を叩《たた》かれて、父子は律儀《りちぎ》に何度も頭を下げながら、深夜の街に消えていった。

「まったく。人騒がせな親子だ」

署内に戻ると、金井は吐き捨てるように言った。「人騒がせ」を扱うのが警察の仕事なのだから仕方がない。貴子は返事をする代わりに、小さく微笑《ほほえ》んだだけだった。

金井は、ちらりとこちらを見ただけで、「じゃあ」ときびすを返す。

「俺ぁ、仮眠とるから。あとはよろしく」

それだけ言うと、金井は大きな背中を見せて、のしのしと行ってしまった。

2

その金井が叩き起こされなければならなかったのは、午前三時を回った頃だった。無線がピーピーと大きな音で鳴り響き、通信指令本部の係員の「一一〇番入電、隅田川東署管内」という呼びかけに、しばらくの間、けだるいほどの静かな穏やかさに包まれていた署内に緊張が走った。

「隅田川東署管内。侵入盗の疑い。場所、墨田区緑三丁目。向かえる車ありませんか」

［隅田川東二、毛利二丁目］

［警視庁了解。隅田川東二、現場《げんじょう》へ。場所、墨田区緑三丁目三十二番六号。関根方。家に帰ったら、奥さんが布団《ふとん》の上で血を流して倒れていた――奥さんは――意識がないもよう――隅田川東二にあっては速やかに現場に急行し、状況を報告せよ。東京消防庁には連絡済み。現在、救急車が現場に向かっている。どうぞ！］

通信指令本部では、一一〇番を受信する係と、指令を出す係とは別になっている。つまり、片方が受信するのと同時に、指令担当者が内容を把握して指示を行う態勢をとっているから、場合によっては、一一〇番をかけている人がまだ受話器に向かって喋《しゃべ》っている間に、警察官が動き出すことになる。指令担当者の声は、怪我《けが》人の意識がないらしいことを伝えた段階からにわかに早口になった。同時に、貴子たちが待機している署内の緊張感も高まった。

［警視庁から隅田川東二。何分くらいで到着出来そうですか］

［隅田川東二から警視庁。およそ五分ほど！］

［警視庁了解。他に向かえる車、ありませんか］

［隅田川東四、石原四丁目から］

［警視庁了解。隅田川東四、現場へ］

この秋、貴子は巡査部長昇進に伴って異動になった。これまでの数年間は、警視庁刑事部の機動捜査隊員として、東京都西部の第三機動捜査隊立川分駐所に所属していたのだが、今度は逆に、東京でも東寄りの隅田川東警察署刑事課に配属になった。長い間苦労を共にした仕事仲間と離れることに関しては、感傷的にならなかったわけでもないのだが、警察官に転勤はつきものだし、貴子に限らず皆がそうやって、まるで回遊魚のように都内をゆるゆると移動し続けているのだ。ついこの間まで機動捜査隊員として、事件の初動捜査に当たっていた身としては、こういう無線を聞いてしまうと、もうその段階で、自分もすぐに現場に急行したくなる習性が、まだ抜け切れていない。だが今は、所轄《しょかつ》署の刑事として、冷静にことの成り行きを見守っていなければならなかった。願わくは、あまり大きな事件にならないで欲しい。倫理上からも、死者など出て欲しくないことはもちろんだが、そんなに大きな事件になってしまって、下手に捜査本部など設置されれば、警視庁本部の刑事が捜査の主導権を握るから、所轄の刑事は窮屈になってしまうのだ。

〔隅田川東二、現着！〕

〔警視庁了解。現状を確認し、速やかに報告せよ〕

ネクタイを締め直しながら、まだ寝ぼけた顔の金井が下りてくる頃には、隅田川東署の一階は、既に慌《あわ》ただしい空気に包まれていた。通信指令本部からの指令の他に、管内でやりとりをする署活系無線の声も頻繁になり、様々な声が錯綜《さくそう》しているからだ。誰もがすぐに出動できる態勢を整えながら、言葉少なになっている。無線の声を聴き逃すまいと、神経を集中させていた。

数分後、明らかに興奮した口調の地域課員の声が、警察署のリモコン室から無線機を通して響いてきた。

「ええ――被害者《マルガイ》にあっては、かなりの出血、かなりの出血ですっ。意識はありませんっ！　捜査員の出動願いますっ！」

署内の空気がますます緊張した。今夜の当直責任者である地域課長が慌ただしく動き回り、通信指令本部からの無線の声も、明らかに緊張をはらんだ様子で、被害者の見たままの状態、凶器の有無、物色の有無などについて、矢継ぎ早に質問を続けている。「落ち着いて」「冷静に」という言葉が繰り返し聞かれた。やがて機捜隊員の到着とほぼ同時に救急車が到着し、救急隊員からの報告として、被害者の女性は意識はないものの、まだ脈があるという情報が入った。被害者の搬送先の病院が決まった頃、貴子たちは一斉に警察署を飛び出した。

「久しぶりだな、こういう派手なヤマは」

貴子がハンドルを握る車の助手席に、まだ眠たそうにしている金井が乗り込んできた。後ろの席にも、知能犯担当と暴力団担当の刑事が乗っている。実は、背後に並んでいる二人の刑事と金井とは、それぞれにあまり親しくないらしいことに、貴子は気づいている。さほど珍しくはない、むしろよくある話だった。要するに、お互いのなわばり意識の違いとでもいうのか、または扱う犯罪のタイプの違いから来ているのかも知れない。これが、交通や警備、生活安全など、課が違ってくると、さらに互いの感情がもつれてくる場合も少なくはない。

「あんた、前は機捜だったって？」

捜査車両の天井に赤色灯を出して、緊急走行を始めたところで金井が口を開いた。貴子は前を行くべつの捜査車両の姿を追いながら「はい」と答えた。

「何か、昔、ずいぶんと派手なヤマに関わったって？　本部事件でさ」

「――派手、かどうか分からないですが」

「バイク、ぶっ飛ばしてさ」

何年か前の、冬の事件のことを言っているのだと思った。だが、昔の事件のことをあれこれと聞かれるのは、あまり好きではない。ついでに思い出したくないことまで、色々と思い出さなければならないこともあるではないか。

「金井さんは、ずっと盗犯担当ですか」

「そんなところだ」

「近頃は外国人犯罪が増えてるから――」

話の流れを変えようとした貴子の言葉を、だが金井は「まあな」と簡単に打ち切ってしまうと、車内の空気が震えんばかりの声を上げてあくびをする。一瞬、静かになった車内には、車載無線の声だけが響いた。やがて、路地の角に制服の警察官が立っているのが見えた。こちらに向かって非常灯を振っている。否応《いやおう》なく、緊張と興奮が高まっていく。

少し込み入った路地に面した一軒家だった。この界隈《かいわい》の家はほとんどが狭い区画内にひしめくように建っていて、ゆったりとした庭を構えていたり、生け垣が周囲を取り巻いているなどという家は、まず見かけない。むしろ塀さえなく、玄関もむき出し、隣家との隙間《すきま》など、三十センチあるかないかという場合の方が普通なくらいだ。その中で、被害者の家には門扉《もんぴ》こそないものの、引き戸式の玄関の脇《わき》から、高さ一・二メートルほどのブロック塀が巡らされていた。

現場には、既に現場保存用のテープが張られて、ものものしい空気に包まれ始めていた。貴子たちの車の他にも、いくつかのサイレンの音が聞こえている。

「ええ、被害者は関根芙佐子《ふさこ》さん。主婦。五十六歳。発見および通報は、夫の信利《のぶとし》さん、五十七歳。職業、トラック運転手。一人息子がいるが、現在は独立しており、別居。夫婦二人暮らしだ」

これまでに収集した情報を、機捜の係長らしい男性が手帳を見ながら読み上げていく。先ほど午前三時頃、運転手をしている夫が帰宅したところ、二階の寝室で倒れている妻を発見したということだった。傍には金属バットが転がっており、それが凶器と思われる。玄関は施錠《せじょう》されていたといい、現段階では、室内が物色された形跡も見受けられないらしい。

「なお、被害者については現在、緊急手術が始まっているが、程度としては重体ということだな。現場の状況からすると、強盗傷害事件というよりは、殺人未遂の可能性の方が高いかも知れん」

主婦が自宅で就寝中に、何ものかに殺されかかったということか。貴子はメモを取りながら、果たしてどんな相手が、わざわざ深夜に主婦を殺そうとするものだろうかと考えた。普通に考えれば、身内の線がもっとも強いと思う。すると、夫か息子か。または、夫が留守だと知っている誰かだろうか。

「詳しい現場検証は朝を待たなければならんだろうが、とりあえず今夜は付近の検索、不審者および目撃者探し、積極的な職質。こういったところだな」

説明が終わると、何人かの捜査員は被害者の家に入っていった。べつに、現場を見る必要などない場合でも、こういう事件が発生した場合、警察官たちはある種の興奮状態に陥り、野次馬根性も手伝って、どうしても見てみたくなるものなのだ。

「どれ、俺もちょっと見てくるか」

金井が大きな身体《からだ》を揺すって歩き出そうとする。それから振り返って、貴子に「あんたは」と聞いてきた。貴子は小さく首を振った。

「私は、遠慮します」

「何だい、意外に気が小せえんだな」

にやりと笑われて、かちんと来た。貴子はわずかに顎《あご》を突き出して、金井の大きな顔を下から見上げた。

「機捜の頃に、血の海はさんざん見てきましたから。珍しくもありません。それに、暗い中で歩き回って、現場を荒らしたくも、ないですし」

金井の目の下が、ぴくりと動いた。けれど貴子は、それを無視して、家の周りを見て歩くことにした。背後から「気の強え女」という声が聞こえた。

——この分だと、明日は簡単に上がれそうにない。

昂一《こういち》の顔が思い浮かんでいた。明日は久しぶりに、署から真《ま》っ直《す》ぐに彼の住まいを兼ねた工房を訪ねて、そのまま一緒に過ごすつもりだった。昂一のことだから、仕事だと言えば「そうか」と簡単に納得するだろうが、その呆気《あっけ》ないほどの潔《いさぎよ》さが、最近の貴子には時折、物足りなくなる。もう少し残念がってくれても良いのではないかと思ってしまう。

思えば機捜にいた当時は、変則的ではあっても一応は、先の予定を立てられる生活を送っていたから、その分、昂一とも会いやすかった。本部事件にでも召集されない限りは、相手の予定とすり合わせながら、意外に順調に、お互いの関係を深めていくことが出来ていたつもりなのだが、こちらに転勤になってからは、そのリズムが変わってしまった。本来ならば、普通の勤め人により近い勤務態勢になったはずなのに、どういうわけか二人で過ごせる時間は減っているのだ。もっとも、それは貴子の方にばかり原因があるわけでもなく、昂一自身の忙しさにもよるものだ。このところの彼は以前にも増して忙しそうで、国内海外を問わず、いたるところを飛び回っている。

——要するに、俺らの年代は働き盛りってことなんだよ。お互いにさ。

少し前、昂一はさらりとそう言っていた。少し雰囲気を出して、多少甘えて「もっと一緒にいたいのに」などと言った後での、ほとんど肩透かしに近い返答だった。あの時は「薄情者」と怒ったが、そう言われてしまえば、確かにその通りかも知れないとも思う。

――でも、そんなこと言ってるうちに、タイミングを逃すのかもね。

実は最近、貴子の中には、そんな思いも芽生えつつあった。このままで良いの、ずっと、こういう関係でいくつもりなのと、聞いてみたい気持ちがある。だが、「いいよ」と言われてしまうのが怖かった。その一方では、「それは嫌だ」などと言われるのも、また困るような気がしている。要するに、一人にもなりたくないし、面倒も抱え込みたくないのだ。それなのに、相手には何らかの決断を迫りたくなっているというのも、考えてみれば身勝手な話だった。

〔隅田川東から警視庁。ただいまをもちましてK配備を解除します〕

〔警視庁了解。警視庁から各局。隅田川東署管内のK配備は解除。各警戒員については、通常の勤務に戻るとともに、今後も不審者等の発見に努め、受傷事故防止に留意の上、職務に当たられたい。以上、警視庁〕

午前四時過ぎ、自主警戒配備を意味するK配備が、時間の経過に伴って解除された。本来ならば殺人未遂事件ともなれば、K配備よりも範囲の広い緊急配備が布《し》かれるべきなのだろうが、被害者の意識がないうえに、事件の発生した時刻が特定できない以上、犯人が未《いま》だに現場付近にとどまっているかどうかも、判断が難しかったのかも知れない。それまで、特に何をするわけでもなく、それでも現場付近をうろうろとしていた刑事課以外の捜査員たちから順番に、徐々に警察署に戻り始めた。あとは、明るくなるのを待つしか仕方がない。

「マルガイの方は、どうなんでしょう」

署に戻ると、貴子はまず聞いてみた。これで死亡ということにでもなると、下手をすれば特別捜査本部が設置される。

「まだ、何とも言えんらしい。手術が続いてるそうだから」

だが、リモコン担当の係長は、緊張と興奮が過ぎ去った後の、半ば気抜けしたような疲れた表情で、そう答えただけだった。

「えらい騒ぎだったな」

再び署内に集まった当直勤務の連中も、口々に感想を言い始める。

「案外、亭主じゃねえのかね」

「玄関の鍵《かぎ》はかかってたっていうんだからなあ」

「しかし、すげえ血だったな。まいった」

「あれ、初めてかい」

五時を過ぎると辺りに朝の気配が漂い始め、やがて空が白んできた。同時に、もうカラスの声が聞こえてくる。奴《やつ》らは日の出の三十分ほど前から鳴き出すという話を聞いたことがある。その話が本当なら、五時半頃に日が昇るのかも知れなかった。いつの間にか、ずい分と遅くなった。やがて寒い冬が来る。

被害者の手術が終わったという連絡が入った。頭蓋骨《ずがいこつ》の陥没骨折に加えて脳にも損傷があり、意識さえ戻れば回復に向かう可能性が高くなるが、それでも、後遺症が残る心配もあるという。現在のところは、一命を取り留める可能性は二十パーセント程度だという話だった。

「二割か。そりゃあ、きついな」

さっきまでの興奮とは異なる、重苦しい雰囲気が漂った。いくら派手な事件は好きだとしても、人が死ぬことを望んでいる者はいない。

「まあ、あとは本人の生命力と、運、てとこかね」

「金属バットで殴られてて、ここまで持ちこたえてるんだから、きっと運は強いと思うがなあ」

とりあえず、まだ諦《あきら》める段階ではない、助かる見込みがあると分かったら、急に気の抜けた雰囲気になった。あちこちであくびをする者が出て、そのあくびが貴子にもうつる。だが、おそらく今日は、そう簡単には帰れないだろう。この際、三十分でも休んでおいた方が良いかも知れない。貴子は、さり気なく人々の間から抜けて、刑事課の部屋に戻った。

自分の机に向かって、そのまま顔を伏せて眠ろうかと思いながら、ノートブックパソコンに目がとまった。昴一にメールしておいた方が良いかも知れない。

〈おはよう！　爽《さわ》やかなモーニング、といいたいところだけど、深夜に事件発生。もしかすると、このまま居残りになるかも。見通しがついたら、連絡します　貴子〉

それだけ書いて送信し、机に突っ伏して目をつぶる。まぶたの裏に、非常灯の赤いランプや、現場となった建物の玄関先、ヘッドライトが探る闇《やみ》などが次々に浮かび、やがて、何も見えなくなった。肌寒さを感じて、はっと目が覚めたときには、外はとうに明るくなっており、時計の針は七時を指そうとしていた。

〈了解。厄介なことにならないことを祈る。こっちは一日、工房にいると思う。無理しないように〉

早起きの昴一は、もう貴子からのメールを読んだようだった。

3

日勤の警察官たちが出勤してきて、署内に活気とざわめきが戻り、やがて前日からの当番勤務との引き継ぎが行われた。それが済めば、夜勤だった警察官たちはそれぞれ帰ることになる。あちこちから「お疲れさん」という声がして、ふと顔を上げると、ちょうど金井が帰ろうとしているところだった。たまたま貴子と目が合うと、彼は口元を皮肉っぽく歪《ゆが》めて「お先に失礼しますよ」と声をかけてきた。

「あとは百戦錬磨の、プロ中のプロにお任せだ」

それだけ言い残して、金井は大きな身体《からだ》をことさらに揺するようにしながら、のしのしと通り過ぎていく。貴子たちの係では、これから鑑識と共に、総出で昨晩の現場検証をすることになっている。たとえ夜勤明けとはいえ、こんな状態で自分だけが早々と帰れる雰囲気ではなかった。

「何、あれ」

巨大な後ろ姿が部屋から出ていくのを、つい横目で見送っていると、既に鑑識のつなぎに着替えている藪内《やぶうち》奈苗《なえ》が、すっと近づいてきて耳元で囁《ささや》いた。この署に来て、いちばん最初に口をきいたのが彼女だった。同じ刑事課の鑑識係員である奈苗は、実際の年齢は貴子よりも少し上だと思うし、階級も警部補だから貴子の上になるが、快活で陽気な、いかにも気さくなタイプだった。貴子は、わざとらしく小首を傾《かし》げて見せながら、「さあ」と答えた。

「多分、根に持ってるんですよ」

「何を?」

「私がゆうべ、現場で言ったこと」

貴子は、当番中の金井との会話を、かいつまんで話した。意外に気が小さいなと言われて、つい、血の海ならさんざん見てきたと言い返してしまったときの、金井の鼻白んだような顔は、今も印象に残っている。結局それきり、金井は貴子に近づいても来なくなった。奈苗は、貴子の話を聞きながら「ああ」と大きく眉《まゆ》を動かした。

「あの人ね、そういうところ、あるのよ。あんなにでかい図体《ずうたい》して、肝っ玉は小さいんだから。自分のこと、言ったようなものなんじゃないの」

「そういう、タイプですか」

「タイプ、タイプ。一見ね、男を売り物にしてるみたいに見えるけど、どっちかっていったら、無駄に大きいって感じじゃないのかしらね」

手厳しいことをさらりと言って、奈苗は悪戯《いたずら》っぽく笑った。

「でも、敵に回すと面倒なタイプだと思うわよ。まあ、デカさんには多いけど、何しろ、ねちっこいし、重箱の隅を突《つつ》くようなところがあるから。それだけは、気をつけた方がいいと思うわ」

「もう手遅れかも、知れないですね」

諦め半分にため息をついて見せると、奈苗は「まあね」と笑った。

「出来れば、必要以上には関わらないことよ。で、向こうから何を言われても、知らん顔しておくこと。知らん顔、ね」

鑑識の世界は、刑事に比べれば女性が多い。最近ではひとつの警察署に一人ずつ、女性の鑑識員がいても不思議ではないくらいに増えてきたとも聞いている。それでも奈苗は奈苗で、様々な思いをしてきているらしいことは、この一カ月ほどの間に、貴子も十分に承知していた。

「こうなったら、余計に早く被疑者を割り出したくなってくるわね。どれ、私も頑張るか」

張り切った表情で言われて、貴子も嬉《うれ》しくなった。本当は眠いし、帰りたい。だが、せめて被害者の容態が安定し、こちらの捜査方針もまとまるまでは、帰るわけにはいかなかった。

「ほら、ユンケル。飲むか？」

改めて現場に向かう車の中で、ハンドルを握る玉城《たましろ》警部補が、上着のポケットから金色の箱を取り出してきた。こういう滋養強壮剤の類《たぐい》は、貴子はあまり好きではない。だが、今日の場合は、飲んでおいた方が良いのかも知れなかった。「すみません」と言いながら箱を受け取ると、玉城の横顔が嬉しそうに微笑《ほほえ》む。

「好きじゃないかも知れないけど、疲れた顔してるし、一時しのぎにはなるからさ。常用しなきゃ、そう悪いもんじゃない」

「私、疲れた顔、してますか」

「そりゃあ、寝てないんだからしょうがないさ。仮眠も取れてないんだろう？」

「小一時間くらい、机で居眠りはしたんですが」

「小一時間か。まったく寝てないよりは、いいだろうけど」

この九月に、やはり新しく配属されてきたばかりで、以来、貴子と組むことになった新しい相方は、京都大学農学部出身でノンキャリアという、ちょっとした変わり種だった。まだ相方になって一カ月ほどということもあって、お互いに詳しいことは分かっていないが、余計なことも喋《しゃべ》らず、だからといって貴子を疎《うと》んじたり、こちらが女だということを、ことさらに意識しているという様子もない、ある意味では自然体の刑事だった。年齢は四十になるかならないか、といったところだと思う。独身だとは聞いているが、それ以外のことは分からない。もしかすると貴子と同類の、戸籍にばってんのついている類なのかも知れなかった。

「それにしても、驚いたろうな。眠ってる最中に、いきなり襲われたりしたら」

「驚いてる暇も、なかったかも知れないですよね」

「物音に気がつかなかったら、そりゃあ、そうか」

いっそ何も覚えていない方が、本人にとっては気が楽かも知れないな、と玉城は呟《つぶや》く。そうかも知れないが、逆に、犯人の顔でも見ていてくれれば有り難い場合もある。こちらだって全力で捜査に当たるつもりだが、被害者本人が犯人を記憶していることほど、しっかりとした裏付けになるものはない。

事件から一夜明けた関根芙佐子の家は、周囲に現場保存用のテープが張り巡らされたままで、その周囲を近所の人々が取り囲んでおり、やはり異様なものものしさに包まれていた。まず鑑識が指紋や掌紋、足跡などを始めとする捜査資料の収集に当たる間、貴子たちは家の中全体の様子を検分し、ことに犯人の侵入経路の特定、被害品の割り出しなどに努める必要があった。

玄関口から二階まで、ビニールシートを敷き詰めてある家の中を、自分たちの靴にもビニールのカバーをかけ、手袋をはめて、注意深く歩く。さして広くはない古い家の一階には、手洗いと浴室、食堂兼台所に、茶の間があった。さらに、その奥に六畳の和室があったが、納戸《なんど》か物置のようになっていて、普段、使用されている様子はなかった。貴子は、その室内を一通り見回した上で、窓辺に近づいた。アルミサッシの窓枠を眺めると、錠が外れている。

「玉城さんっ」

相方がどこにいるのか分からないから、とりあえず声を張り上げた。十秒もたたない間に、玉城が「どうした」とやってきた。貴子は黙って、窓を指さした。

「最初から？」

「今、私が見た段階では」

玉城は小さくうなずいてから、辺りを見回しながら窓に近づき、磨《す》りガラスのはめ込まれた窓をそっと開けた。おそらく一メートルも離れていないと思われる距離に、クリーム色のモルタル塗装の壁が見えた。玉城は窓から顔を突き出して、さらに周囲を見回している。

「鑑識に見てもらおう」

玉城の言葉に、貴子は鑑識係員を呼ぶために二階に上がっていった。現場となった夫婦の寝室に行くと、二組の布団《ふとん》が敷かれたままの状態で、特に、その片方が血まみれの状態になっていた。中でも枕《まくら》の周辺の血はおびただしく、枕元のタンスや周辺の畳、壁にまで、血しぶきが飛んでいる。いかに激しい力で殴りつけられたかを、その惨状が語っていた。

「即死じゃなかったのが、不思議なくらいだな」

上がってきた貴子に気づいた日下部《くさかべ》係長が、苦虫を噛《か》みつぶしたような顔で呟いた。貴子が階下の部屋の状況を説明すると、係長は即座に鑑識の係長を呼び、さらに二人の係員を連れて、慌《あわ》ただしく階下へ降りていった。被害者は現在も生存しているとはいえ、ものものしさという点では、殺人の時と変わらなかった。ただ、本部事件に発展していない分だけ、駆り出されている人数が少ない程度だ。

家中の検証と、現場周辺の簡単な聞き込みを終えて、署に戻ってきたときには既に昼近くなっていた。昼食と休憩、聞き込んできた結果の整理などを挟んで、三時から会議に入る。ユンケルを飲んでおいて正解だった。

「侵入経路は、一階奥の納戸からと考えて、まず間違いがないと思います。アルミサッシの窓枠の、外の部分に埃《ほこり》の取れている部分がありましたし、窓の外についている鉄製の手すりにも、新しく塗装と錆《さび》とが落ちている箇所が見つかっています。細かい分析を待たなければなりませんが、部屋の内部にも、外庭の土と思われるようなものも発見されています」

まず報告したのは鑑識だった。錠の部分に壊されたような形跡もないことから、犯人はおそらく、あの窓が施錠《せじよう》されていないことを最初から知っていたか、家の周りを歩き回った結果、それを発見したかのいずれかと思われた。

続いて石松主任が手帳を覗《のぞ》きながら報告に立った。

「夫の関根信利氏によれば、以前はあの部屋が夫婦の寝室だったそうです。息子さんが独立したので、あそこを物置がわりにして、寝室を以前の息子さんの部屋に移したということでした。それ以来、ほんの時たま、空気を入れ換えることくらいはあるようですが、普段、使っていないだけに、きちんと施錠してあったかどうかは、記憶が曖昧《あいまい》ですね」

「あそこの窓の前は、すぐ隣のアパートだったな」

都筑《つづき》課長が難しい顔のままで言う。

「だとすると、不特定多数の人間が出入りする、か」

「いや、あのアパートは、関根さんの持ち物だそうです。それに、母屋《おもや》とは一つの敷地内に建っていて、一応は塀で囲んでいますからね。無関係な人は、あまり入り込まないと思いますが」

今度は日下部係長が応《こた》えた。

「アパートの住人は」

今度は貴子が立ち上がる番だった。

「全部で七人です。部屋数は八つなんですが、ちょうど侵入経路と思われる、あの部屋の前が一部屋、空いています。住人は全員が一人暮らしの男性で、ほとんど夜のうちに所在確認は出来ています。ただ、通報のあった時間帯が時間帯ですから、アリバイという点では深夜勤務の警備員をしている男性と、同じく深夜まで働いていたパチンコ店店員の男性以外は、証明できていないものがほとんどです」

「つまり大半は、事件発生当時はアパートにいたわけだな」

「ですが、不審な物音を聞いたなどという証言も得られてはいません。全員が就寝中で、パトカーのサイレンの音を聞いて起きたということです」

矢継ぎ早に報告が続く。自分が喋っていないときは、ひたすらメモをとり続け、貴子は、自分でもかなり思考力が低下しつつあると感じられる頭で、懸命に事件の全体像を摑《つか》もうとしていた。

「被害者の枕元のタンスには、引き出しに定期預金の通帳や有価証券などが入っていたし、階下の茶の間にも、仏壇にある程度の現金がしまわれていたが、すべて手つかずのままだ。物色した形跡もない。つまり、本件は関根芙佐子の殺害だけを目的とした事件と判断できるだろう」

手帳に「殺害目的」と書いて、ぐるりと丸く囲んでみる。

「金属バットは、あの家にあったものではないようですね。犯人が持ち込んだんでしょう」

次に「計画的」と書いて、また囲む。凶器となった金属バットを持って家に侵入したのなら、おそらく計画的とみて間違いはない。

「息子なんですが、関根守、二十九歳。足立区竹の塚で、コンビニの店長として働いています。昨晩の事件当時も勤務中だったということで、アリバイはたしかです」

「亭主が第一発見者を装《よそお》っている可能性は、ないんだな」

「断定は出来ませんが――一一〇番に通報する三分ほど前に、家のすぐ近くの、月極《つきぎめ》駐車場にトラックを駐《と》めているところを見た人がいますから、おそらく、違うとは思いますね」

今度は「身内以外」と書いて、また囲む。

五十代後半の女性が、深夜、就寝中に何ものかに襲われた。物盗《と》り目的でもない、身内の犯行でもないのなら、一体誰が、何の目的で、そんなことをしたのだろう。

――恨み？　憎しみ？　嫉妬《しっと》とか？　痴情のもつれ？

駄目だ。頭がまるでまとまらない。思わずため息をついたとき、課長も、椅子《いす》の背に大きく背をもたせて、「なるほどなあ」と呟いた。

「だが、物盗りが目的じゃないとすれば、あとは怨恨《えんこん》、か」

「手口からしても、そうでしょうね」

日下部係長がうなずいた。

「レイプしようと思う相手の頭を、金属バットで殴りつけるなんてことは、まず、ないだろう」

「暴行目的なら、大抵は粘着テープで口をふさぐか、首を絞めるか、でしょう」

「決めつけることは出来んとしても、六十近い女性を犯そうとは、普通は思わんだろうしな」

「ええ、一応――そういう意味で、被害者に衣服の乱れはなかったということですし、体液のようなものも、おそらく発見されてないはずですんでね」

それならば、あとは被害者の周辺を徹底的に洗い出すことで、犯人は簡単に割り出せるのではないかという雰囲気が、小さな会議室に広がった。

「細かい鑑識の結果は明日以降を待つにしても、とりあえず、被害者の交友関係、身辺をくまなく洗うことだな」

これで捜査方針が固まった。貴子は何度もあくびをかみ殺しながら課長の「頑張ろう」という言葉を聞き、やっと会議室を出た。とりあえず報告書だけは書いて帰ろうとパソコンのスイッチを入れ、ついでにメールのチェックをしてみると、何本かのメールの中に、昂一からのものも混ざっていた。

〈飯、食ったか。俺はこれから食いに行く。いつもの店、と言いたいところだけど、一人で勝手に行くと誰かさんに怒られるから、今日は、おとなしく普通の定食屋にしておくよ。無理すんなよ〉

昂一の口調そのままのようなメールだった。このところ、貴子たちはタイ料理が気に入っている。夏頃から、一緒に食事をしようというと、何軒かのタイ料理屋から選ぶのが当然のようになっていた。そのうちの一軒は、昂一の工房のすぐ近所にある。ああ、あの店で、今日も汗が止まらなくなるような辛い料理を食べて、爽快感《そうかいかん》を味わいたかった。

「音道、今日は、もういいから。早く帰って休めよ」

つい、ぼんやりと惚《ほう》けたようになっていると、係長の声が聞こえた。貴子は、はっと我に返り、慌てて愛想笑いを浮かべた。

4

係長の指示もあって、翌日は丸一日たっぷりと休み、翌々日から、貴子は再び捜査に戻った。本当は昨日のうちに、あっさりと被疑者が逮捕されてしまうのではないかと、気が気ではなかったのだが、単純なように見えても殺人未遂事件には変わりがない。そう簡単には、容疑者は浮かび上がってこないらしかった。その代わりに、被害者である関根芙佐子の人となりについては、かなり立体的に把握出来つつあったが、実は、そうして分かってきた芙佐子の人間像が、事件をより不可解なものにしつつあるといっても良かった。

「何しろ、悪口ってものを聞かないんだ」

朝礼の後で一日の行動を確認しあい、すぐに署を後にする。並んで歩き始めた玉城が、早速、昨日の聞き込みの結果について聞かせてくれた。

「隣近所。親戚《しんせき》。パート先。どこに行っても皆が皆、口を揃《そろ》えて『あの人に限って』

って驚くくらいでさ。信じられないって」

「実際、どういう感じの人なんですか？」

玉城は、大きな丸い目をぱちぱちと瞬《まばた》きさせながら、「それなんだけど」とうなずく。名前からして沖縄の出身だろうと思うが、玉城は彫りの深い、はっきりとした顔立ちをしている。特に濃い眉《まゆ》とくっきりとした二重まぶたの目元は、間違いなく、沖縄人特有のものに見えた。背はさほど高くないが、浅黒い肌にがっちりとした体格をしており、いかにも硬派のスポーツマンらしくも見える。むしろ京大の農学部という経歴の方が、不思議な印象を受けるくらいだった。

「とにかく明るくて、愛想がよくて、表裏がない。人づきあいも悪くないし、金のことでトラブルを起こしてる形跡もない。人前でも平気でダンナのことをのろけてみせるくらいだっていうから、夫婦仲は円満。浮気してる様子もない。おまけに世話好きで、子どもが小さい頃にはＰＴＡの役員もしてたし、町内会とか何とか、色んなことをやってるらしいよ」

「何ですか、それ。百点満点じゃないですか」

「百点は無理でも、かなり、それに近いっていう感じかな」

「そんな人が、誰に恨まれるっていうのかしら」

「まあ、昨日一日、聞き込んだだけだから、まだ彼女の裏の顔とか、そういう部分が見えてきてないだけかも、知れないけどね」

「裏の、顔。でも、表裏がないって言われてるんですよね？」

「そうだけど」

すんなり解決できるのではないかと思われた事件が、意外に手間取りそうに見えてくるのは気の重いものだった。貴子は今朝、渡されたばかりの被害者の顔写真を思い浮かべていた。旅行先か何かで写したスナップ写真らしく、緑色を背景に、関根芙佐子は満面の笑みを浮かべていた。美人でも不美人でもない、いわゆる十人並みというのか、どこにでもいそうな、ごく普通の中年女性だ。

——殺されるほどに恨まれる理由。

犯人と関根芙佐子以外は誰も知らない、彼女の暗部があるのかも知れない。それを、どうやって掘り起こしていくかが、重大なポイントかも知れなかった。

その後も何日かかけて、くまなく聞き込み捜査を続けたが、やはりめぼしい情報は得られなかった。現場に残された指紋などからも、大きな手がかりは得られていない。目撃者も見つからなかった。捜査員たちの間に、微妙な空気が流れ始めた。

「何か、見落としてることがあるんじゃないかな」

「初動捜査にミスはなかったのか」

会議のたびに、確実に空気が重苦しくなっていく。徒労で終わる毎日が陽気な会話を奪い、小さな苛立《いらだ》ちを生んでいた。こうなってくると上司は呪文《じゅもん》のように「現場百遍」などという言葉を唱えるようになり、貴子たちも自然に、同じ疑問ばかりを口にするようになった。

「たとえば夫の方を恨んでる人物なんて、いないでしょうか」

「つまり、芙佐子は亭主の身代わりに襲われたっていう線か」

「それは、考えられるな」

「でも、亭主を襲うんなら、何も家に入り込まなくたって、よさそうなもんじゃないですかね」

「一応は、調べてみよう」

被害者が意識さえ取り戻してくれれば、もしかすると犯人の顔を見ているかも知れないし、心当たりがあるのかも知れなかった。だが、いかんせん関根芙佐子は昏睡《こんすい》状態のままだった。

所轄《しょかつ》署で仕事をしている以上、ひとつの事件にばかり関わっているというわけにはいかない。トラブルは毎日のように、必ずどこかで発生したし、それらの中には貴子たち強行犯係が扱うべき事案が含まれていないはずがなかった。

事件発生から一週間近くが過ぎたところで、課長の指示により、日下部係長と石松主任は、とりあえず捜査から離れることになった。つまり、関根芙佐子殺人未遂事件に関しては、貴子と玉城に任された格好になる。張り切って良いのか、荷が重くて憂鬱《ゆううつ》になるだけなのか、よく分からない状態だった。

「まあ、そう言わないでさ、諦《あきら》めるなよ。手柄立てるチャンスじゃないか」

昴一と電話で話したのは、次の夜勤の晩のことだ。当番勤務の夜は、各課の勤務員たちが揃って一階で待機し、非常の場合に備えるのが基本なのだが、雑談に加わる気分でもなかったし、今夜も例によって、巨体の金井がいたから、何となく、その場にいたくなかった。

「諦めたり、しやしないわよ。だけど本当、小さなヤマでも、こういう風に行き詰まると、やっぱり嫌な気分のものなのよね」

たった一人の部屋で、天井の蛍光灯も最低限だけ点《とも》した状態にし、ゆっくりと昴一の声を聞いていると、それだけで落ち着いてくる。

「そういう部分に、事件の大きさは関係ないんだろうな。まあ、俺だってそうだ。大口の仕事だけじゃなくて、たとえば個人の注文でも、今ひとつデザインが決まらない間は、何となくモヤモヤしてるもんな」

「今、何作ってるの？」

「北海道のホテルからの注文」

自称「椅子《いす》職人」の彼は、椅子のデザインから製作までを、ほとんど一人で請け負っている。無論、基本のデザインが決まり、見本が出来上がって、同じものをいくつも製作するという場合は、工場に発注することもあるらしいが、基本的には一人の作業が中心だ。デザインセンスも要求されれば素材への知識も要求され、さらに人間工学的な考察も欠かせないし、体力も必要になるという椅子作りの仕事を、昂一は「天職」と言っている。

「そういえば、俺さ」

受話器の向こうから、からん、と氷の音が聞こえた。夜更《よふ》けになって貴子と電話で話すとき、彼は大抵、水割りを飲んでいる。

「眼鏡、作ろうかと思ってんだ」

「眼鏡？　目、悪くなったの？」

「悪くなったっていうかさ、老眼らしいんだよな」

「老眼？　もう？」

思わず、素《す》っ頓狂《とんきよう》な声が出た。「ちょっと待ってよ」と言いながら、素早く昂一の年齢を考える。四十歳。早すぎないだろうか。

「特に夜になるとさ、文字が読みづらくなってさ」

「それ、老眼じゃないんじゃないの？　鳥目じゃない？」

「鳥目？　何だ、そりゃあ」

「習わなかった？　ビタミンAが足りないと、鳥目になるって」

「知らねえけど。ビタミンAって、何に入ってる？」

「ニンジンとか」

「ニンジンか。そういえば、しばらく食ってないかな」

何だか悲しくなってきた。昂一に、気の毒なことをしているような気分にもなった。やはり誰かが健康管理をしてやるべきではないのか。そしてそれは、こちらの勝手な思いこみでない限りは、貴子であるべきではないのか。

「じゃあ、しばらくニンジンばっかり食うかな」

「ばっかりじゃ、駄目よ。バランス」

「そういうお前は？　ちゃんと食えてるのか」

「野菜ジュース飲んだり、サプリメントで補ったり、色々とやってるわよ」

答えながら、さらに情けなくなってくる。貴子だって偉そうなことはいえない。相当に悲惨な食生活を送っていることには変わりがないのだ。誰にも注意されないまま、一人で適当に暮らしているから、そういうことになる。これでも結婚していた頃は、それなりに努力していたというのに。

「今度、少し時間が出来たら、ちゃんと考えて用意するわ」

「何を？」

「だから、もう少しバランスを考えて」

「貴子が？」

「何で？　私じゃ悪い？」

そんなはずがないではないかという答えばかりを想像していたのに、ところが、返ってきた答えは「悪いよ」というものだった。辺りに人がいないのを良いことに、貴子は思わず「どういう意味よ」と声を荒らげてしまった。

「人がせっかく心配してるのに」

「心配なんか、しなくていいって」

「何、それ」

「俺、嫌いなんだ、そういうの。貴子は俺の母親でも何でもないんだから」

「それは、そうだけど。でも──ちゃんと食べてないから、鳥目みたいなことになるんじゃないの？」

「だから、そういう、お袋みたいなこと、言わなくていいんだって」

「──なんでよ」

「だって、俺はべつに貴子の息子でも何でもないんだしさ、世話をするとか、面倒を見るとか、そういう感覚って、嫌なんだよな」

「変わってるわねえ」

「なんで」

「普通、男の人って女の手料理を喜ぶものなんじゃないの？　どこかで、お母さんの代わりを求めてるものなんじゃないの？」

「そうとばかりは限らないって。そんなに珍しくはないと思うよ」

貴子にはよく分からなかった。だが、相手が必要ないと言っているのに、無理に食事の支度などしてやるものかという気持ちにもなる。第一、昴一の言う通り、忙しいことは確かだった。せっかく休めるのだとしたら、何もせずにのんびりしたいに決まっている。少なくともそういう点では、貴子自身も、家庭的とは言い難いとは思っている。よくもこういう性格で、短いながらも家庭生活を営めていたものだと、今にして思えば不思議なくらいだ。

「だったら、もう、絶対に作らないから」

「まあ、そう言うなって。自分で作りたくなったら作ればいいんだし、その時に、俺が一緒にいたら、食わせてもらうから。だけどさ」

「――なによ」

「俺の方が、絶対に上手だと思うんだよな」

「だったら食べさせてよ。私は昂一がお母さんみたいでも、全然、構わないから」

携帯電話の向こうから穏やかな笑い声が聞こえてきたとき、廊下に人の気配がした。貴子は「誰か来たから」とだけ囁《ささや》いて、素早く電話を切った。

「よう、ここにいたのか」

部屋の入り口に姿を現したのは、金井だった。貴子は、書類でも書いていたようなふりをして、わざとノートブックパソコンを閉じて見せた。

「下で、夜食でも作ろうかって話になってるんだけどさ」

「いいですね」

「誰かが、女刑事さんの手料理が食ってみたい、なんて言い出したもんでな」

人を試すような薄ら笑いを浮かべながら、金井はこちらを見ている。母親のような真似《まね》はするな、世話を焼くなという男がいるかと思えば。貴子は思わず苦笑しそうになった。さて、ここは、どう答えるべきだろう。出来ませんと言うか、任せてくださいと言おうか、それとも、作りたくありませんと言うべきか。

「皆さん、何かリクエストはあるんでしょうか」

「さあ、どうかな」

「じゃあ、下に行って聞いてみましょう」

言うが早いか、貴子は席を立った。金井と二人きりで向き合っているのが、息苦しくてならないのだ。これは、相手の身体《からだ》の大きさなどとは何の関係もなかった。強いて言うなら、金井の目線が、どうにも気持ちが悪かった。彼の巨体の脇《わき》をすり抜け、エレベーターを使わずに階下に降りたところで、無線機がピーピーと鳴った。

〔警視庁から各局。隅田川東署管内。交通人身事故。場所、墨田区向島四丁目。向かえる車、ありませんか〕

〔隅田川東一、現場付近！〕

〔了解。隅田川東一、現場へ。交通人身事故です。場所。墨田区向島四丁目、桜橋通りの、郵便局の前あたり。ええ、トラックがオートバイと接触して、オートバイが転倒。トラックは――そのまま――走り去ったもよう〕

無線の途中でさらに大きくピーピーという音が鳴った。単なる交通事故ではなく、これはひき逃げ事件だ。

「至急。至急。警視庁から各局。ただ今から隅田川東署を中心とした半径二十キロ圏内に緊急配備を布《し》く！　逃走した車両は灰色のトラック。墨田区向島四丁目から桜橋通りを西方向へ！」

瞬《また》く間に署内が慌《あわ》ただしくなった。警察署に隣接して建てられている待機寮と呼ばれる独身寮から、休んでいた警察官たちが呼ばれた。交通課は、ほとんどの場合が現場に向かうときにはヘルメットや非常灯、「背負い」と呼ばれている蛍光ラインの入ったチョッキなどを着込まなければならない。さらに、現場検証用の機材が詰め込まれたワゴン車に乗り込んで、彼らは一斉に署から出ていった。手が足りなければ貴子たちも、応援という形で動く。無線では、交通機動隊が出動したことを告げている。

「畜生、何だって俺らが泊まりの晩に限って、こう色々とあるんだ」

後から戻ってきたらしい金井の声が、いかにもやれやれといったように聞こえた。貴子が視線を感じて、何気なく顔を上げると、彼は探るような目でこちらを見ていた。

「この前も、そうだったしなあ。多分、中に、いるんだよな。災いを呼ぶヤツっていうのが」

一瞬、喧嘩《けんか》を売っ̇ているのかと思った。または、いびるつもりか。貴子は咄嗟《とっさ》に身構える気持ちになりながら、「知らん顔しておくこと」という奈苗の言葉を思い出していた。そうだった。相手の挑発に乗っては負けだ。まだ当分、顔をつきあわせなければならないかも知れない相手と、わざわざ険悪になる必要はない。

「なあ、そう思わないか。誰か、いるんじゃないかねえ」

金井の巨体が視界に入る。貴子は相手に気取《けど》られないように腹で深呼吸をした後で、出来るだけ愛想の良い顔を向けた。こういう時に相手が大きいと、こちらが見上げなければ表情を読まれないのが助かる。

「皆、疲れて戻るでしょうから、お夜食は豚汁か何かにしましょうか」

我ながらわざとらしいくらい無邪気な口調で言ったとき、貴子たちにも応援の要請がかかった。貴子は、さらに「残念ですね」と笑いかけてやった。

「金井さんにも私の手料理を食べていただきたかったんですけど。本当に災いを呼ぶ人がいるんだとすると、多分、これからものんびり夜食なんか、作っていられないでしょうしねえ」

金井は何か言いかけて、ふん、と小さく鼻を鳴らし、のしのしと一人でどこかに行ってしまった。

5

数日後の夕方近くなって、関根芙佐子の意識が回復したという連絡が入った。およそ十日ぶりに、彼女は死の淵《ふち》から生還したことになる。貴子は早速、玉城と共に病院へ向かった。

「何でもいいから、覚えていてくれるといいですね」

「どうかな。覚えていたらいたで、本人にはショックだと思うから。今度は心の傷と戦わなきゃならなくなる」

玉城は考え深げな表情で、「それも気の毒だ」と呟《つぶや》く。貴子は不思議な気分で、この新しい相方を眺めていた。見た目は猛々《たけだけ》しい雰囲気さえあるというのに、玉城という刑事はずい分きめ細やかな、優しい考え方の持ち主らしい。これまで、気の荒い刑事とばかり組んできた貴子にとっては、こういう相手はある意味で新鮮だった。

関根芙佐子の病室のある四階でエレベーターを下りると、すぐ脇の喫煙コーナーに見覚えのある顔を発見して、貴子は思わず足を止めた。相手も貴子に気づいたのか、目をしょぼしょぼとさせながらソファから立ち上がる。

「ずっと、来ていらっしゃるんですか」

芙佐子たちが経営しているアパートの、間借り人の一人だった。小柄で顔の青白い、瘦《や》せた男だが、何しろ芙佐子のことを心配して、事件の発生直後から、ほとんどずっと付き添っているらしい。玉城も彼のことを認識したらしく、貴子に向かって目顔でうなずいた後、「意識が戻ったそうですね」と話しかけた。

「そうなんですけど――」
二十六、七といったところだろうか、まだ学生のような、頼りない雰囲気の男は、憔悴《しょうすい》しきった顔をうつむかせて、少しの間だけだった、と呟いた。
「少しの間だけ？」

「確かに少し、目を開けたんです。だから慌てて先生も呼んで、診てもらったんですけど、今はまた、眠っちゃいました」

ふう、とため息をついて、男はまたソファに腰を下ろした。こちらも、思わず気が抜けそうになりながら、とりあえず貴子は玉城と共に病室に向かった。一人部屋の狭い病室はナースセンターのほぼ正面にあって、そっとドアを開けると、ベッドの傍には関根信利と息子らしい青年がいた。病人は、頭に包帯を巻かれ、鼻からチューブをつながれた格好で静かに横たわっている。

「少し、目を開けられたって」

玉城が遠慮がちに口を開いた。やつれ果てた表情の関根が、やっとというようにうなずく。

「先生の話では、一度でも意識を取り戻せば、もうほとんど、安心していいだろうっていうことなんですが」

「じゃあ、助かるんですね」

「助かることは助かるだろうけど――ただ、本当に短い間だったもんで、こっちの呼びかけに反応したかどうかも、まるで分からなかったんです」

「大丈夫だって。言ったろう？　母さん、ちゃんと俺のこと見たんだから。目が少し、笑ったんだから」

ベッドの反対側にいた息子が、真っ赤に充血した目でこちらを見た。貴子がこの病院を訪ねるのは、今日が初めてだった。つまり、芙佐子本人に会うのも、息子に会うのも初めてだ。

「お母さんが眠っている間に、怪我《けが》をした部分が、一生懸命回復しようとしているんでしょう。意識があって、痛くて苦しいよりも、その方が御本人が楽だから、きっと自然に、身体《からだ》がそうなってるんですよ」

玉城が慰めるように言う。すると、息子の方がたまりかねたように肩を震わせ始めた。膝《ひざ》の上で握り合わせた手に力を入れ、上体を折り曲げて、その手に額を押しつけるようにして、息子は嗚咽《おえつ》を洩《も》らした。父親が、深々とため息をついた。

「可哀想《かわいそう》に——本当に、どうしてこんなことをされなきゃならないんだか——」

「母さん——母さん——」

うずくまったままで、息子も絞り出すように母を呼び続けていた。貴子は、いたたまれない気分になった。この夫と息子の様子を見ただけでも、関根芙佐子という女性がいかに家族に愛されて、平和に生きてきたかを感じることが出来る。それならば余計に、犯人が分からない。

「やっぱり、思い当たるところはないでしょうか」

貴子と同じ気分になっていたのか、玉城が遠慮がちに口を開いた。

「どんな小さなことでも構いません。奥さんのことだけでなく、ご主人のことでも、息子さんのことでも、何か、トラブルのようなことはありませんでしたか」

「何度も、そう聞かれたんですが——本当に、あたしらには思い当たることがないんですよ。人様に迷惑かけないで暮らすことっていうのが、あたしの親の代からの言いつけでしてね、それを守ってきたつもりですし、倅《せがれ》にも、小さい頃から、そう言って聞かせてきましたし」

まだうずくまったまま、それでも息子は激しく首を振っている。

「こちらからは何もしていなくても、何ていうか——一方的な逆恨みとか、ですね。そういう場合もあるかも知れないんですが」

玉城が聞き直すと、夫は「さあ」と首を傾《かし》げ、息子の方もようやく顔を上げた。

「そういう話になったら、それこそ僕らには分かりませんよ。逆恨みなんて、向こうが勝手にするものでしょう？　うちらが、人に恨まれるようなことなんて、まるでした覚えはなくたって、止めようがないことじゃないですか！」

さっきよりも、さらに真っ赤に充血した目で睨《にら》みつけられても、貴子にはうなずくことしか出来なかった。

「頼みますよ、刑事さん。犯人を捕まえてください！　そうじゃないと俺、世の中の人全員を——今度は俺の方が恨まなきゃならなくなりそうなんですから」

胸を衝《つ》かれる言葉だった。努力しますとしか答えられない自分が情けない。ここで犯人を捕まえられるかどうかが、目の前の青年の人生そのものをも左右するのかと思うと、否応《いやおう》なく重苦しい気分になった。

「俺だけじゃないです。白石くんだって、そう言ってました」

白石くん、と聞き返そうとして思い出していた。さっき、エレベーターホールの脇《わき》で会った青年の名前だ。

「彼、よく来てるんですか」

「よく、なんてもんじゃないです。本当に、よくやってもらってます」

答えたのは関根だった。彼や息子が仕事で来られないときも、白石という青年だけは毎日ずっと、病院に来ているという。

「彼は、何をしている人なんですか」

「司法試験を受けるんで、ずっと、頑張ってるんです。まあ、うちのアパートは古くて汚いですが、その分、家賃も安いんでね。それに、女房が何かと世話を焼いていたみたいで」

「なるほど、司法試験を」

そう言われてみれば、なるほどと思えるような雰囲気もあった。

「だけど白石くん、今は弁護士になるの、どうしようかと思うって言ってましたよ。だって、いちばん弱い立場にあるのは、やっぱり被害者の方じゃないかって。たとえばこんなことをした犯人が捕まったって、とても弁護するつもりになんか、なれるもんじゃないって」

息子は、切なそうに母親の顔を見つめながら、疲れた口調で呟く。ベッドの横に置かれた点滴のチューブの中を、ぽつん、ぽつん、と液体が落ちていくのを眺めていると、このひとしずくの動きだけが、関根芙佐子が生きていることの証《あかし》のように感じられた。

とにかく、意識が戻ったらすぐに連絡をして欲しいと言い残して、貴子たちは病室を後にした。胸に鉛でも詰め込まれたようだ。本当にこのまま犯人が捕まらなかったらと思うと、憂鬱《ゆううつ》を通り越して恐怖感さえ湧《わ》いてくるようだった。

「あの、どうでしたか、おばさん」

先ほどと同じ場所で、白石は貴子たちを待っていたかのように話しかけてきた。

「関根さん、幸せな人だね。今回の事件は気の毒に違いないけど、家族や、君のような人にも、こんなに心配されて」

玉城が穏やかな口調で答える。

「そんなに、よくしてもらったの」

えんじ色のトレーナーにジーパン姿の白石は、どこか手持ち無沙汰《ぶさた》のように見える、身体の前でもじもじと手を動かすような格好で力無くうなずいた。

「本当に——人から恨まれるような人じゃ、ないんです。僕もそうだけど、アパートの、他の人に対してだって、よくしてくれて。家賃だって、ちょっとくらい遅れても、『いいのよ』って待ってくれるような、そういう大家さんなんです」

「君は、試験勉強をしてるんだってね」

「まあ——ああ、そうです」

「一次から受けるの？」

「今のところ——そうです」

そりゃあ大変だ、と玉城は言った。白石は曖昧《あいまい》に笑って、首の後ろに手をやる。

「だとすると、一日中、アパートにいるの」

「——だいたい」

玉城はふうん、とうなずきながら白石を見ている。

「じゃあ、関根さんの奥さんと話したりすることも、多いのかな」

「まあ——何かのついでに顔を合わせたりすればっていうところです」

「立ち話程度？」

「まあ、そういうことも、たまには」

「そんなときには、どういう話をするの」

「どういうって。単なる世間話ですよ。天気のこととか、近所に住み着いてる野良《のら》猫のこととか」

「関根さんの奥さんて、君から見て、どういう人かな」

「ですから、いい人です。親切な。でも、それ以上に詳しいことは、分かりません。そこまで、よく話したことがあるっていうわけでもないから」

それから二、三、世間話に近いような質問をして、貴子たちはエレベーターに乗り込んだ。病院のエレベーターは、ひどくゆっくり移動する場合が多い。この大きな箱も同様だった。他の患者や病院関係者なども乗り込んでいるから、貴子たちは言葉を交わすことが出来ない。ただ、重苦しい気分だけが全身を支配していく。

「おかしくないか」

ようやくエレベーターを下りて歩き始めたところで、玉城が呟いた。貴子は「え」と隣を見た。

「あの男。白石」

「どうしてですか」

このまま病院を出るのかと思ったら、玉城は一階の外来受付の前にいくつも並んでいる長椅子《ながいす》の方に向かう。外来の受け付け時間は、もう過ぎたのかも知れない。辺りはがらんとしていた。その中の、エレベーターからは見えない、四角い柱の陰になるあたりを選んで、彼は腰を下ろした。

「関根芙佐子に、よくしてもらってるっていうのは分かるけど、家賃を待ってもらったことがある以外は、たまに立ち話をするくらいの関係なわけだろう？　そういう人の傍に、そんなにつきっきりになるかな」

「でも——それでも彼には、有り難かったんじゃないんですか」

「それに司法試験の一次って、年明け早々なんだ。今ごろは、もう追い込みに入ってなきゃならない時期だと思うんだけどな」

玉城は一点を見据え、様々に考えを巡らしている表情で顎《あご》の辺りに手をやっている。

貴子は、自分は単なる隣人だという印象しか抱かなかった白石について、慌《あわ》ててもう一度、記憶をひっくり返し始めた。つい今し方の会話。その前に、アパートの前で話を聞いたときのこと。外見。仕草。

——仕草。

身体の前で、もじもじと手を動かしていた様子が思い出された。まさか、と思う。第一、司法試験を受けようという人間が、どうして世話になっている大家を殴り殺そうとしなければならないのだ。動機が分からない。

——男女の関係？　まさか。息子みたいな年頃だし。

だが、ちらちらと隣を見ると、玉城は相変わらず何か考えている表情のままだ。

「とりあえずここで、息子か関根が出てくるのを待とう。いや、息子は離れて暮らしてるから、あんまりよく知らないかも知れないな。関根の方を」

貴子は黙ってうなずいた。つい今し方、鉛を詰め込まれたように重苦しく感じた胸が、今はもう、他の方向に動き出そうとしている。それにしても、自分が気づかなかった部分に、この玉城は何か感じていたのかと思うと、少し悔しい気持ちにもなる。知らなかった。司法試験が年明けにあるなんて。確かに、そんな試験の前に、毎日のように病院につきっきりになるというのは不自然だ。身内ならばいざ知らず、天気の話をする程度の、他人のために。

外には夕暮れが迫ってきていた。貴子たちは、ひっそりとしていく一方の待合室で、ぼんやりと時を過ごした。一時間ほど過ぎたとき、ようやくジャンパー姿の関根がエレベーターから下りてきたのが見えた。貴子は素早く席から立ち上がり、彼を玉城のところに連れてきた。玉城は立ち上がって、関根に向かって軽く会釈《えしゃく》をした。

「もう、お帰りですか」

「いや、これから仕事に出ないといけないんで」

「お疲れなのに、大変ですね」

再び並んで腰を下ろして、丁寧に話しかける玉城に、関根はわずかばかり怪訝《けげん》そうな表情になっている。

「本当は、休みたいんですけどね。息子も、もう少ししたら店に戻らなきゃならないっていうし。だけど、ここで長い休みなんかもらっちゃうと、ちょうどいいやっていうんで、リストラでもされかねないもんで」

「厳しいですね」

「あたしらはあんた方みたいな公務員とは違うんでね。でも、まあ、白石くんがいてくれるんで、心強いですわ。本当に」

「白石くんは、お宅のアパートに越してきて、もうどれくらいになるんですか」

「半年、いや、そろそろ一年近くなるくらいですかね」

「家賃をためたことがあるって、さっき聞きましたけど」

するとと関根は「ああ」と言って、困ったような笑いを浮かべる。

「女房がね、特にあの子には肩入れしちゃってるんですよね。今どき珍しい苦学生っていうのかな、親元から仕送りも受けないで、一生懸命、勉強してるわけだから」

「仕送りも受けてないんですか」

「そんなこと、言ってましたがね。だから、食い物だって、ろくなもん食ってないだろうっていうんでね、女房が色々と届けてやったりしてるんです。あたしがいないときには、たまには家で、飯を食わしたりもしてるんじゃないのかな」

「お宅で？」

「だから、ああやって恩を感じてくれてるんでしょう。まあね、女房の奴《やつ》も、倅が独立しちゃったし、淋《さび》しいっていうか、そういうところもあったと思うんですがね。だから、息子がもう一人出来たみたいだなんて言って、何かっていうと、シャツなんか買ってきたりとか」

心臓が、嫌な感じに高鳴ってきていた。貴子は、憔悴《しょうすい》した様子ではありながら、いかにも人が好《よ》さそうに笑みを浮かべている関根信利の横顔を眺め、その向こうの玉城を見た。玉城も貴子の視線を受け止めて、小さくうなずいている。その時、今度は関根の息子の方が、エレベーターから下りてきた。スタジアムジャンパーを着て、腕時計をのぞき込みながら、慌ただしく歩いていく。

——つまり、上には白石が一人。

弾《はじ》かれたように立ち上がっていた。何を言うよりも早く、エレベーターの方に向かう。背後で「ちょっと」という関根の声が聞こえたと思ったら、もう隣を玉城が歩いていた。

「やばい、ですね」

「ひょっとするとな」

　ちょうど扉が開いていたエレベーターには、車椅子に乗せられた老人や、何人かの見舞客らしい人々、白衣の関係者などが順番に乗り込んでいる最中だった。貴子たちも彼らに従って乗り込む。すると最後に、置いてけぼりを食わした格好になった関根も、不安そうな表情のままで乗り込んできた。

「どうしたっていうんですか、急に」

　ごとん、とエレベーターが動き出す。関根は玉城の顔を見つめて言った。

「ちょっと、気になることがあるだけなんです」

「何にですか、白石くんにですか」

「そういうわけでもないんですが——」

「じゃあ、何なんです」

　言っている間に、エレベーターは四階に着いた。再び、ごとん、という衝撃があって、ドアがのろのろと開き始めた途端、貴子は真っ先に隙間《すきま》から飛び出した。横の喫煙コーナーを見る。白石の姿はなかった。貴子は振り向きもせずに、そのまま関根芙佐子の病室に走り出した。背後から、二つの靴音が追いかけてきた。

そろそろ夕食の時間なのだろう。病院の廊下には、方々に大きなワゴンが置かれていた。パジャマの上からカーディガンなどを羽織った病人の姿も、さっきより数多く見受けられる。それらの間を縫って廊下を突き当たりまで走り、そこを左に曲がって、さらに右に曲がる。まるで障害物競走だった。

ナースステーションの前まで来ると、貴子は走るのをやめ、呼吸を整えて、芙佐子の病室のドアに手をかけた。心臓が高鳴っている。急に喉《のど》の渇きを覚えた。

スライド式の薄ピンクのドアは、音もなく開く。その向こうに、白っぽいカーテンが引かれていた。病室に足を踏み入れ、カーテンの端を手繰ったとき、貴子の目にはえんじ色のトレーナーが飛び込んできた。

「何してるのっ！」

言うが早いか、ベッドに覆《おお》い被《かぶ》さるように見えたトレーナーに飛びかかっていた。筋張った青白い手が、眠っている患者の顔の大半を抑えつけている。その格好のままで、白石はぎょっとしたようにこちらを振り向いた。

「離してっ、手を離しなさいっ！」

貴子は夢中で、その手を摑《つか》み、ねじ上げるようにした。その時、入り口のカーテンが大きく翻《ひるがえ》って、玉城が飛び込んできた。それに関根の姿が続く。

「先生を呼んでっ！　早く！」

玉城の声が響く。同時に彼は、まだ全身を硬直させている白石を背後から羽交い締めにした。

「お前、自分が何してるのか、分かってるのかっ！」

玉城が怒鳴っている間も、白石は、まるで声を上げなかった。ただ、硬直したような格好で、されるままになっている。

「音道、確保だ！」

玉城に言われて、貴子は慌てて手錠を取り出した。

「殺人未遂の現行犯で、逮捕します！」

声が喉に貼《は》り付きそうだった。静脈の浮いた、痩《や》せて骨張った手首に、黒いセラミック製の輪がはまった。

6

取り調べに対して、白石道生は関根芙佐子の自宅に侵入し、あらかじめ用意してあった金属バットで芙佐子の頭部を殴り、殺害しようとしたことを認めた。侵入経路となった窓は、数日前に関根方を訪れた際に、芙佐子の目を盗んで自分で開けておいたという。つまり、完全に計画的な犯行だった。

「まさか、あれで死ななかったなんて思わなかったんです」

白石は淡々と語った。あのまま死んでしまってくれれば良かったのに、下手に生き延びて、その上、意識まで取り戻しかかったことで、計画は大きく狂ってしまったと。そうでなければ、自分は完全犯罪を遂行できたと、彼は思っていたらしい。

「ついてないんだよな。僕って、前からそうなんです。どっか、ついてないっていうかね。いつも、そうなんだ。あと一歩のところで、チャンスを逃す」

ふてぶてしい表情でそう言うと、白石は「あーあ」とため息をつき、これで司法試験の夢は破れてしまったと舌打ちをした。

彼の言葉を裏付けるように、白石のアパートの部屋からは、犯行計画書と思われるメモ書きと犯行に使用したらしい手袋などが発見され、さらに、その手袋の他、洗濯済みの衣服の数点からも、血液反応が検出された。白石は住居不法侵入および殺人未遂容疑でも改めて逮捕され、身柄を送検された上で本格的な取り調べに入った。

一方、幸いなことに、関根芙佐子は今回も一命を取り留め、数日後には、はっきりと意識を取り戻した。だが現在のところ、彼女は事件前後のことは、何も記憶していないということだった。そのことを伝えると、白石は「なんだ」と、また舌打ちをした。その様子には、後悔も反省も、まるで気配さえ感じられなかった。

「さんざん、世話になってたんじゃないのか？」

取調室で、玉城は机に肘《ひじ》をついて白石を見ている。貴子も、記録用の机の前から、その様子を見つめていた。今回の事件で、何よりも知りたいのは犯行の動機だ。

「そんな、さんざんってこと、ないでしょう。第一、べつに、こっちから頼んだわけじゃないんだし」

白石は、軽く顎《あご》をしゃくるように答えた。

「関根さんは、特にお前には肩入れしていたっていう話じゃないか。今度の試験には受からせたいって、そりゃあ一生懸命、色々としてくれてたんじゃないのか」

「――まあ、そうですけどね」

「それで、どうしてこういうことになるんだ」

「どうしてっていったって――」

「関根さんは、お前のことを、まるで実の息子みたいに思ってたって」

すると、白石は大きく首を傾けるようにしながら、いかにもうんざりした表情になって「それなんだよな」と呟《つぶや》いた。口元を大きく歪《ゆが》め、顔をしかめて、彼はまた舌打ちをする。

「何が実の息子なんだよ。冗談じゃや、ねえって」

貴子は、じっと白石を見つめていた。彼は、いかにも苛立《いらだ》った表情で、関根芙佐子は、すっかり自分の母親気取りになっていたと言った。

「それだけ可愛《かわい》がってくれてたっていうことじゃないのか」

玉城が尋ねる。だが白石は一層、顔をしかめるばかりだった。

「迷惑ですよ。俺は、あんな人の息子でも何でもないですって。俺には俺の、ちゃんとした母親がいるんですから」

それなのに、ただ家賃を支払って、部屋を借りているというだけの関係の相手に、たとえ大家といえども私生活にまで口出しをされて、あれこれと指図をされるのは、煩《わずら》わしくてたまらなかったのだと白石は言った。

「だから、それは――」

貴子と同様、玉城も、白石の犯行の動機が理解しきれない様子で、半ば呆気《あっけ》にとられている。だが白石は、「他人は他人じゃないですか」と言った。

「あんな女に母親面《づら》されるなんて、もう、うんざりだったんです。こっちが金がないもんだから、引っ越したくても引っ越せないって分かってて、毎日のように、何だかんだって呼ぶし。恩着せがましく、栄養がどうのとかって言って」

「恩着せがましいなんていうこと、ないだろう」

「ありますよ。だって、あの女は何かやってくれると、最後には必ず言うんだから。『将来、偉くなったら返してもらうから』って。ぞっとしましたよ」

そしてついに最近では、関根芙佐子は白石に説教をするようになっていたという。司法試験を受けるのは結構だが、いつまで続けたら踏ん切りをつけるか、考えておいた方が良いのではないか。世の中には、別の生き方もあるということを、頭の片隅にでも置いておいた方が良いのではないか。机にしがみついて勉強だけしていても、本当に人間を救えるような法律家になれるものかどうか。

「余計なお世話だっていうんです。そりゃあ、自分のところは、亭主はトラックの運ちゃんだし、息子はコンビニ勤めだし、学歴も何にも関係ない世界で生きてきてるんだろうけど、そんな程度の低い連中に、何が分かるっていうんですか」

「——本気で、そんなこと言ってるのか」

玉城の声が、オクターブ低くなった。貴子は記録を取る手を休めて、身体を捻《ひね》って二人の方を見た。

「世話になっておきながら、そんなふうにしか感じてこなかったのか、お前」

青白い顔色の白石は、拗《す》ねた子どものように唇を尖《とが》らせて、どこかはっきりしない様子で首を左右に揺らしている。

「だって——」

「お前の母さんは、お前に、学歴や職業で人を判断しろって言って育てたのか」

「——うちのお母さんは——まあ、そうとは言わなかったけど、最後に勝つのは、みたいな、常識的なことは、そりゃあ言いますよね」

「常識的な?」

「常識でしょう。理科系だったら医者、文科系だったら弁護士あたり目指すのが、やっぱり、いちばんの道だっていうのが」

言った後で、白石の顔がぎょっとしたように変わった。おそらく、彼の正面にいる玉城が、恐ろしい形相で彼を睨《にら》みつけているのに違いなかった。貴子は、こんな男が実際に司法試験を受けて、検事にでも弁護士にでもなられたのでは、たまったものではないと思っていた。

結局、最終的に白石に犯行を決意させたのは、関根芙佐子から受けた小さな叱責《しっせき》がきっかけだったという。このところ、今ひとつ勉強に身が入らず、パチンコ屋に通ったり、分不相応にも、場末のスナックなどに顔を出すようになった白石に、芙佐子は「やる気があるのか」と言ったらしい。家賃の遅れまで大目に見てやっているのに、そんなことでどうすると言われて、殺意が芽生えたということだった。

「その上、こう言ったんです。『私だから、こういう耳の痛いようなことも言うんだから』って。冗談じゃないですよ。どこまで母親気取りなんだか。それで将来、僕の世話にでもなるつもりだったんです。恩人ぶって。きっと、そうです」

玉城に、返せる言葉は見つからない様子だった。貴子も無力感に襲われるばかりで、ついに何の言葉も思いつかなかった。これが事件の前ならば、そんな考え方をしていると、そのうち痛い思いをすることになるぞとでも言いたかったが、手遅れだ。こうなってくると、本当に関根芙佐子が生きていることだけが、せめてもの救いとしか言いようがない。

「馬鹿馬鹿《ばかばか》しいっていうか、こうも親切を仇《あだ》で返されると、本当に嫌になるわね」

捜査がひと通り落ち着いた頃、貴子はようやく昂一と会うことが出来た。久しぶりのタイ料理屋に行き、シンハービールで乾杯をして、貴子は事件のあらましを昂一に話して聞かせた。

「個人主義が進んでるからかな」

「被害者は、ものすごいショック受けてるのよ。本当に、実の息子みたいに思ってたのにって」

「実の親子なら、多少の喧嘩《けんか》だって、どうっていうこともないんだけど。所詮《しょせん》は他人っていうことなんだろうなあ」

生春巻きを頬張りながら、昂一もやれやれといった顔つきになっている。

「だけど、これで分かったろう？」

「何が」

「世の中、お袋みたいな女を求めてる野郎ばっかりじゃないってことが」

何よ、それ、と言いかけて、以前の会話を思い出した。

「じゃあ、昂一も、母親気取りの女が出てきて、あれこれと世話を焼いたり、説教したりしたら、むかついて殺したくなる？」

「俺は、それほど短気でも若くも、馬鹿でもないからさ」

ナムプラーと唐辛子をたっぷり使ったソースにコリアンダーの葉を山ほど散らし、今度は牛肉とニンニクのタイ風炒《いた》めを頬張りながら、昂一は早くも額の辺りに汗を浮かべている。

「それなら言うけど」

グリーンカレーが運ばれてきた。細長いタイ米にカレーソースをかけながら、貴子は昂一を見つめた。

「なに」

「鼻毛、切った方がいいわよ」

「あれ、そう」

「それから」

「なに」

「老眼鏡、もう作ったの？」

「まだ」

「だったら、その前に一度、眼科に行ってみた方がいいと思うけど。本当に鳥目かも知れないんだから」

口の中がひりひりしているのだろう。はあ、と息を吐き出し、ポケットから引っ張り出したバンダナで額の汗を思い切り拭《ぬぐ》いながら、昂一は「殺してやる」と呟いた。ちょうど、次の料理を運んできたウェイターが、ぎょっとしたように手を止めた。タイ人かどうかまでは分からないが、明らかにアジア系の外国人らしい彼の、真剣に怯《おび》えたような表情に、貴子たちはつい、声を出して笑ってしまった。

その後もエビのサラダ、タイ風オムレツ、白身魚の和《あ》え物にトムヤムクンなどをさんざん食べて、苦しいくらい満腹になった。店を出ると、驚くほどに冷たい風が額の汗を飛ばし、さらに、ひっそりとした虫の音が辺りを包み込んでいた。

「ついこの前まで、まだ秋の匂《にお》いだったのに。もう完全に冬だわね」

車を止めてあるところまで、少しの距離を歩きながら、貴子は辺りの匂いを嗅《か》いだ。

「ああ、久しぶりに、どっかに遠出したいな。紅葉でも見に」

膨らんだ胃の辺りをセーターの上から撫《な》でながら、昂一ものんびりした声で答える。貴子が、では今度の休みはツーリングに行こうと言いかけたとき、だが、隣から「痛てっ」という声がした。振り向くと、昂一が額の辺りを抑えている。街路樹の枝に当たったようだった。

「畜生、全然、見えなかった」

片方の目をつぶって、しかめ面になっている昂一を見て、貴子は思わず笑ってしまった。

「ほら、やっぱり老眼じゃないわよ」

以前にも感じた、嬉《うれ》しいような情けないような気分が戻ってきた。老眼でないことを喜ぶべきか、そうでもないのか。「こんなところに伸びてきてんじゃねえよ」などと言って、まだ木の枝を睨みつけている昂一を眺めながら、貴子は、ここはうるさがられる覚悟で、とりあえず病院にだけは行かせようと考えていた。

残りの春

I

灰色の室内で、老人はもう二十分以上も口をきかずにいる。こちらがすすめるままにパイプ椅子《いす》には腰掛けたものの、背もたれに身体《からだ》を預けるわけでもなく、背筋をきちんと伸ばして、微動だにしない。その両手は、身体の正面に立てたステッキの、馬の頭部を象《かたど》ったグリップに預けていた。本来ならば「凶器」となったステッキだから、こちらで預かりましょうと言ったのだが、老人は「いや」と厳しい表情で首を振り、絶対に手放そうとはしなかった。

「こっちを向きなさいって、言ってるじゃないですか」

すう、と息を吸い込んだ気配がしたかと思うと、隣にいた沢木警部補が口を開いた。音道貴子は、その神経質そうな横顔を一瞥《いちべつ》し、再び老人の方を向いた。老人は、まるで耳さえ遠くなったかのように、身動きする気配を見せない。

「何回、同じことを言わせるんだよ。聞こえないのか？　おいっ、ちょっと！」

警部補の声が一段、高くなる。片方の手はチェックのハンカチを握っていた。花粉症らしく、彼は貴子の知る限り、来る日も来る日も、まるで休みなく、ひっきりなしに、ハンカチで鼻か目のどちらかを抑えている。そのせわしなさと落ち着かない様子は、気の毒には違いなかったが、こういう場面では、どうも締まらなくなってしまう印象は否《いな》めない。

「なあ、ねえ、おいってば」

その上、この口調だった。あまりに頼りない呼びかけに、思わず笑いがこみ上げそうになって、貴子は口元に力を込めた。ふう、というため息が聞こえて、隣から視線を感じる。警部補が、救いを求めているのかも知れないことは分かる。だが、ここで口出しをして良いものかが分からない。たとえ一回り近く年下とはいえ、なにしろ相手はキャリアの警部補ときている。つまり、貴子の上役なのだ。

この隅田川東署の管轄《かんかつ》区域は主に東京都墨田区内になる。いわゆる東京の下町地帯であり、たとえば相撲部屋が点在しているかと思えば、中小零細の町工場などが密集しており、無機的な町並みばかりが広がっているかと思えば、片方では江戸情緒の名残をとどめる風物や、人情味豊かな住宅密集地が残っていたりという、複雑かつ多様な表情を持つ地域だ。

「ねえってば、ちょっと」

墨田区からは少し離れるけれど、もともとが下町生まれの貴子にとっては、この界《かい》隈《わい》への異動は、ある種の懐《なつ》かしさも伴って、心弾むものだった。しかも、ようやく巡査部長に昇進しての異動なのだから、嬉《うれ》しくないはずがない。

「ねえ、聞こえないのかっ。爺《じい》さん！」

沢木警部補が、また苛立《いらだ》った声を上げた。異動を喜んでばかりもいられない、その理由の一つに、この上役の存在があることだけは間違いがない。貴子たちとは相対せずに、ぴんと背筋を伸ばした姿勢のままで、ただ斜め向こうを向いている老人の眉《まゆ》が、一瞬ぴくりと動いたのが見えた。反射的に、貴子は「まずい」と思った。今の呼び方は、このタイプの相手に向かってはもっとも不適切だ。第一、相手はまだ「被疑者」ではない。

仕方なく、沢木に顔を近づけて「ちょっと、いいですか」と囁《ささや》きかけると、沢木は、ぐすん、と鼻をすすりながら、口を尖《とが》らせてこちらを睨《にら》みつけてきた。その目が、「遅いじゃないか、もっと早く助け舟を出せよ」と責めているように見える。貴子は、その子どもじみた顔に目顔で頷《うなず》き、改めて老人の方を向いた。

「ちょっと失礼しますね。すぐに戻りますので。ああ、それと、お茶でも淹《い》れてきましょうか」

それでも老人は動かなかった。貴子は、そそくさと席を立った。扉に向かいかけたところで、背後から、かたん、と椅子を鳴らす音がした。沢木警部補は、おとなしくついてくるつもりらしい。

「一体、何なんだよなあ、あの爺さん。威張っちゃってさ。何様のつもりなんだろうな」

廊下に出てドアを閉じた瞬間、まず口を開いたのは沢木の方だった。今度はティッシュを取り出してきて勢いよく鼻をかみ、さらに縁なしの眼鏡を外して、目をごしごしとこすってから、若い警部補は「マジで」と呟《つぶや》いた。

「下手すりゃあ、逮捕することになるよって言ってるわけじゃないか、こっちは。それなのに、殿様みたいな顔してさ。ここがどこで、こっちが誰だか、分かってんのかね」

そうね、あなたは東大出のキャリア官僚なんだものね、あんな爺さんに無視されて良いわけがないわよね。貴子は、赤い目でドアの向こうを睨みつけている沢木を、密《ひそ》かにため息をつきながら眺めた。本当に、こういう男が将来の日本のために何かしてくれるようになるのだろうか。

「とりあえず、今日のところは私に対応させていただけないでしょうか」

我ながら大人になった。こんなガキを相手にしても、すぐに苛立った顔をしなくなった分だけ、実は冷ややかになったのだとも思う。貴子は「お願いします」と、わざとらしいくらいに目を細めて、小さく頭を下げて見せた。貴子と大して身長の変わらない沢木は、明らかにほっとした様子で、それでもプライドだけは辛うじて保ち続けた表情のまま、「いいよ」とそっぽを向いた。

「僕、年寄りって苦手だしね。どうせ大した案件でもないんだし。隣で見てるから、君がやってみてよ」

はい、と、ほとんど嫌味に見えるに違いないくらいの笑顔を返したが、警部補には通じなかったらしい。相当に鈍感だ。彼が、もう一度、鼻をかんでいる間に、貴子はさっさと部屋に戻ってしまった。

「お待たせしてすみませんでした」

「茶は」

椅子に腰を下ろそうとしたとき、老人が初めて口を開いた。咄嗟《とっさ》に「あ」と振り返ったが、後から入ってきた沢木警部補は、何も聞こえていないかのように落ち着き払った表情で、ゆっくりともとの席に着いたところだった。

「すぐ、淹れてきます」

慌《あわ》てて再び部屋を出て、貴子は初めて深々とため息をついた。取り調べも何も出来ないのだから、せめてお茶くらい淹れれば良いのだと、つい不満がこみ上げた。本当に、本当に偉ぶっている。ガキのくせに。一体どういう育てられ方をすると、ああいう人間が出来上がるのだろう。

――いくらキャリアだって。

だが、あの手のかかるキャリア警部補の相手役こそが、今回、貴子に与えられた「重要な」任務だった。以前、機捜にいたときには、もっぱら事件の初動捜査にばかり従事してきた貴子にとって、所轄署の刑事課で、事件の端緒から最後に決着するまで、ずっと関わり、見つめ続けていくことは、一つの希望でもあった。それが、こういう面倒な仕事まで引き受けなければならないとは思わなかった。

――ウチにいるのは、どうせ、長くて二カ月ってところだ。何事もなく、無事にお戻りいただければ、それでいいんだから。

まだ互いに気心が知れているとはいえない都筑《つづき》課長は、貴子に向かって無表情のまま、言ったものだ。未《いま》だに古い価値観と慣習に支配されている部分の多い刑事の世界では、貴子のような女性刑事さえ、容易には仲間として受け容《い》れられにくい風潮がある。叩《たた》き上げになればなるほど、ベテランであればあるほど、女の刑事など、はなから相手にしようともしないものだ。つまり貴子も、もしかすると「何事もなく、無事に」次の異動まで過ごせれば、それで良いと思われているのかも知れなかった。こういう緊張感は、異動の度に経験することだ。

それから二週間あまりが過ぎている。隣には常に沢木警部補が貼《は》り付いているものの、何しろ当の本人が、お客様気分のままだし、貴子自身は前任者の残した未処理のファイルを見たり、新しい環境に慣れようとしたりしているうちに、時間は瞬《また》く間に流れていた。

「お待たせしました」

三人分の茶を用意して、ようやく部屋に戻る。そこは正式な取調室ではなく、小さな面接室だった。相談事を持ちかけてきた人のために使ったり、少人数の会議などで使うような部屋だ。

「あまり、美味《おい》しくないと思いますが」

貴子が淹れた茶を、老人は、ゆっくりと飲んだ。そして再び、もとの姿勢に戻る。こちらもなかなかのプライドの持ち主らしい。もしかすると年齢が高い分、隣で目をこすっている沢木よりも、さらに誇り高い人物かも知れなかった。改めて席に着き、貴子はテーブルの上で手を組んで、老人の方を向いた。

「今回のことは、複数の目撃者もいることですし、あなたの方に原因がないことは分かっています。それに被害者の少年たちの方も、まあ病院には行っていますが、怪我《けが》の程度も大したことないようですので、その点のご心配も、いらないと思うんです」

貴子が話し始めると、隣から沢木がちらちらとこちらを見ているのが感じられた。

「何ていうか——災難、でしたね。何か、急ぎのご用がおありだったんじゃないんですか」

老人の顔が、今度は大きく動いた。白いものの混ざった太い眉をぎゅっと寄せて、老人は初めてこちらを向き、「災難なんていうものじゃない」と言った。意外なほど朗々と響く、良い声をしている。それに、眼差《まなざ》しに力がこもっていた。一見したところ、七十代にはなっていると思う。頬にも額にも、大きなしみや黒子《ほくろ》のようなものが出来ていて、そういう意味では美しい顔ではなかったが、鼻筋の通った、なかなか整った顔立ちの老人だ。

「大体、何なんだ、あの連中は。まるで愚連隊じゃないか、ええ？　年端《としは》もいかないうちから、町をうろついたり、人に言いがかりをつけたりして、どういう育てられ方をしている奴《やつ》らなんだ。もしも、私がこのステッキを持っていなかったら、今頃は簡単に殺されていたかも知れんのだぞ」

「――まあ、そういうことは――」

「ないと、いえるかっ」

突然、老人の声が大きく響き渡った。思わず身体がびくりとするのを感じながら、貴子は老人を見つめた。

「今の世の中で、どこにそんな保証があるっ。それなのに、僕を取り押さえた警察官は、何と言ったと思う。『爺さん、弱いものいじめするんじゃないよ』と、こう言ったんだ。それから、『卑怯《ひきょう》だ』とも言ったな。この僕にだ！　どちらが社会的弱者だ？　どちらが卑怯者だ？　貴様らは公僕として、どういう目でこの現代社会というものを見ているんだっ。今、この社会を震撼《しんかん》させておる事件の数々は、誰が起こしていると思うんだっ。二十歳《はたち》にもならん、小僧どもではないのか！」

つい今し方まで、黙《だんま》りを決め込んでいた男とも思えなかった。老人の声は、あくまでも朗々としており、その言葉には、独特のリズムのようなものがあった。貴子は思わず相手の言葉に聞き入ってしまっている自分を感じた。まるで、ドラマの台詞《せりふ》でも聞いているようだ。

「貴様らがそういうことだから、齢《よわい》七十を越えている老人が、自分で自分の身を守らなければならなくなるのではないのかっ。そんなことだから、この国は滅びようとしているのではないのかっ」

隣の沢木は、まるで呆気《あっけ》にとられたように口を半開きにしている。この声は、きっと廊下の外にまで響き渡っていることだろう。貴子は、ひたすら「はい」を繰り返していた。とりあえず、言いたいことを吐き出してもらうより仕方がない。

「半人前の青二才どもを、寄ってたかって甘やかすから、こういうことになったんだ！」

ことの発端は、道ばたでふざけあっていた中学生のグループと、この老人との不幸な巡り合いだったらしい。

現在のところ、住所も氏名も語ろうとしていないこの老人が、どこかへ向かって歩いていたところ、同じ道の反対側から、近所の中学生グループがやってきた。ちょうど春休みに入ったばかりということもあり、暇な上に浮かれていたらしい彼らは、浅草あたりまで足を伸ばして、ゲームセンターにでも行くつもりだったという。何かの話で盛り上がっていた少年たちは、一人はストリート系のダンサーを真似《まね》るように飛んだり跳ねたりしていたし、二人は自転車にまたがったまま、ペダルは漕《こ》がずに足の力でのろのろと進んでいた。その周囲にも、さらに数人がいて道幅いっぱいに広がり、それぞれが大声で喋《しゃべ》りあっていた。そして、自分たちの集団の真ん中を突っ切ろうとした老人に、極めて軽い気分で「じじい、邪魔なんだよ」と言った。続いて誰かが、「死に損ないが」とも言った。数人の少年が、いかにも囃《はや》し立てるようにげらげらと笑った。すると突然、すれ違っていくと思われた老人が、「誰に向かってものを言っているんだ」とステッキを振り上げたというのだ。

「向こうがそう出るから、何だよ、やる気かよって感じで、だから、俺たちだって、爺さんを取り囲んだだけで」

少年の一人は、すっかり血の気の失《う》せた顔で、半分泣きべそになりながら、そう言った。彼らは別段、問題のあるような子どもたちではなかった。ただ単に怖いもの知らずの今どきの子どもたちが、人数の多さも手伝って、一人前に喧嘩《けんか》を買うような、粋《いき》がった言葉を吐いてしまった。すると、老人は「貴様らっ」と怒鳴りながら、さらにステッキを振り下ろそうとした。威嚇《いかく》のつもりだったのかも知れないが、慌てた少年の一人が、老人の肩を突いてしまったことから、結局、老人はステッキを振り下ろすことになった。

実際には、少年たちは一人として、直《じか》にステッキに殴られた者はいなかった。ただ、老人の勢いにすっかり慌ててしまい、パニック状態を起こして一斉に逃げようとしたものだから、自転車ごと転んだり、仲間内でもつれ合ったりして大騒ぎになっているところを、近所に住む人が一一〇番通報し、駆けつけた警察官が老人を取り押さえたということらしい。

「謝罪すべきなのは、向こうではないのかっ。この僕が、何もしない人に向かって、あのような真似をするとでも思っているのかっ」

「すみませんが、あの」

顔を紅潮させて、今、再びステッキを振り回しかねないように見える老人を、貴子は出来るだけ穏やかに制した。

「仰《おつしや》ることは分かりますから。とりあえずですね、まず、お名前をうかがわせていただけないでしょうか。そうでないと、こうしてお話をうかがっていても、何とお呼びしたら良いのか、分かりません」

「名乗れというのなら、そちらから名乗るべきじゃないのかね。それとも僕は、既に逮捕されているのか？　犯罪者か？　これは取り調べなのか？」

貴子は「いえ、いえ」と慌てながら、警察手帳を取り出して、自分の顔写真と階級とが記されているページを開き、老人の前に差し出した。老人は、ぐっと顔を突き出して、手帳と貴子の顔とを見比べた。

「音道貴子、巡査部長。そっちは」

振り返ると、沢木警部補はいかにも不満そうな顔で眉根《まゆね》を寄せ、子どもっぽく唇まで尖《とが》らせている。貴子は「早くしなさいよ」と言いたいのを堪《こら》えながら、懸命に目配せをして見せた。すると貴子の新しい上司は、渋々といった表情で、いかにも勿体《もったい》ぶったように手帳を差し出した。

「沢木――下の名前は、これは何と読むのかな」

「ひでとし」

警部補は憮然《ぶぜん》とした表情で答える。すると老人は、部屋中の空気を震わすような声で高らかに笑い出した。

「それはまあ、ご立派な名前をつけられたものだ。秀逸と書いて、ひでとしとは。まあ、親の期待も分からんじゃないが。ははあ、秀逸とかいて、ひでとしとはなあ」

思わず、こちらも笑いそうになってしまった。貴子は、大きな声で笑っている老人と、完全にプライドを傷つけられた様子の警部補とを見比べながら、冷めかけた茶でそっと喉《のど》を潤《うるお》した。数分後、ようやく笑いの収まった様子の老人は、「失礼」と言って大きく咳払《せきばら》いをした後で、初めて自分の名前を名乗った。三方幸三郎《みかたこうざぶろう》。七十七歳。どこかで聞いたことのあるような名前だった。

2

　結局、一気に憤懣《ふんまん》を吐き出したせいか、または沢木警部補の名前が気に入ったからか、その後の貴子からの質問に対しては、三方幸三郎老人は比較的あっさりと、好意的に受け答えをしてくれた。住まいは港区高輪《たかなわ》二丁目。健康維持のためと、見知らぬ町を探索して歩くことを趣味としているために、今日はたまたま隅田川を越えてみようと思い立ったという。

「新しい地下鉄にも乗りたいと思ったしな」

「ああ、地下鉄でいらしたんですね」

「あれが通って、やはり便利になったのかな」

　機嫌が戻ってくると、老人は決して話しにくいタイプでもないらしく、むしろ、真《ま》っ直《す》ぐに貴子の方を向いて、時折、にこりと笑った顔などは、なかなか魅力的な印象さえ与えた。全体の服装も垢《あか》抜けていて、良いセンスをしているし、若い頃は相当な美男だったのではないかとも思わせる。実際、三方の口からは、「年寄り扱いされたくない」「爺《じい》さんなどと呼ばれる筋合いはない」などという言葉が繰り返し聞かれ、つまりは、自分はまだ十分に若々しいつもりでいることが察せられた。だからこそ、「じじい」「死に損ない」などと言われて、頭に血が昇ったのだろう。

「お腹立ちはよく分かりますが、でも、今回のことは、少しやりすぎたとは思われませんか」

貴子の問いかけに、老人は一瞬、苦虫を嚙《か》みつぶしたような表情にはなったものの、微《かす》かにため息をついた後は、「確かに」という呟《つぶや》きが聞かれた。

「我ながら大人げなかったとは、まあ——今となっては、な。ただ、ああいう傍若無人な若者、いや、まだ若者とも呼べないような子どもたちが、今、巷《ちまた》に溢《あふ》れかえっておるのが、僕は前々から嫌だったんだ。自分が彼らの年頃の時には、この国はどんな有り様で、僕たちはどんな教育を受け、どんな思いで日々を暮らしてきたかと、思わず思い出させられるでしょう」

三方は再び背筋を伸ばし、真っ直ぐに前を向いて話し始めた。

「僕の友人も、大勢が戦死しておる。この国の未来を思って、この国の発展を願って、祈りながら若い生命《いのち》を散らしていったんだ。それが、あなた、今、どういう世の中になってると思うのかね。僕は、あの仲間たちの死を無駄だったとは思いたくはない。だからこそ、今の連中を見ているとね、どうしても腹が立つ」

三方は更に雄弁になり、ひとしきり日本の現状を嘆き、未来を憂《うれ》えて見せた。貴子が懸命に相づちを打っているその間に、ちょうど、被害に遭った少年たちが診察を受けた病院に様子を見に行っていた警察官から、いずれの少年の場合も、直《じか》にステッキで殴られた形跡はなく、慌《あわ》てて逃げたり転んだりした際の擦り傷くらいしか、目立った外傷はないという報告が入った。勿論《もちろん》、レントゲンの結果でも骨にも異常は見られない。貴子が「よかったですね」と三方に笑いかけていた時、貴子を残して、部屋の外に出ていた沢木警部補が、戻ってくるなり手を後ろ手に組み、「帰ってよろしい」と唐突に宣言した。

「今回は厳重注意ということにする。ただし、運が良かったと思ってもらう。本当にたまたま、今回はステッキが——」

「馬鹿《ばか》にするなっ。僕の手元に狂いはないっ！」

三方が再びまなじりを上げげた。貴子は慌てて「三方さん」と言いながら、手で制する真似《まね》をした。

「少年たちの方にも、本当に、十分に反省する余地のあることだと思いますので——これで、もしも少年たちの中に、大きな怪我《けが》を負ったような子どもがいれば、もう少し面倒なことになったということですから」

「当たり前だ」

「――は」

「それくらいのことは、ちゃあんと考えておるということだ。本気で狙《ねら》っていたら、骨の二本や三本、簡単に折れていたでしょう。これでも僕は、それなりの使い手で通っていた時代もあるし、今でも毎朝、素振りは欠かさない。昔は真剣を振ったこともあるくらいでね」

「そう、なんですか」

どうも、得体の知れない老人だ。だがとりあえず、血の気が多いことだけは確かだった。貴子はつい、「年寄りの冷や水」という言葉を思い浮かべながら、相手を怒らせないように、そういう意味のことを言うには、どうしたら良いものかと、目まぐるしく考え始めた。その時、また沢木が口を開いた。

「でも、年寄りの冷や水っていうからね」

思わず舌打ちをしそうだった。再び表情を険しくする老人に懸命にごまかす笑いを浮かべながら、貴子は「では」と席を立った。

「確かに、近頃は物騒になってきていますので、お散歩なさる場合も、くれぐれもお気をつけになって下さい。ステッキは護身用になるとは思いますが、タチの悪い相手の場合は、かえって逆効果になる場合もあります。刃物などを持ち出されたら、たまりませんでしょう？」

三方老人は、まだ不服そうな表情だったが、それでも一応は素直に立ち上がり、貴子の言葉に頷《うなず》いた。

「もし万一、身の危険を感じるような場面に遭われたら、決して無理をなさらずに、すぐに一一〇番なさってくださいね」

三方は、貴子と沢木とを交互に見比べてから、やれやれというように微かに肩をすくめて小首を傾《かし》げる。まるで外国人のような仕草だった。最初にも感じたが、この年齢にしては、すらりとしてなかなかの長身だ。趣味の良いジャケットの下には、オフホワイトのタートルネックを着て、胸のポケットにさり気なくチーフなど覗《のぞ》かせている。革靴は光っていたし、ズボンもきちんとプレスされていた。確かに、年寄り扱いされたり、「じじい」などと呼ばれるにはふさわしくない風格のようなものを持ち合わせていると思う。

「まあ、こちらも今日は色々といい経験をさせてもらった。そう思うことにしよう。あの子どもたちと、その保護者には、厳重に注意をしておいてくれたまえ」

軽くステッキを振って、三方は歩き始める。言うことは立派だが、間接的にせよ、子どもたちを驚かせ、結果として怪我をさせたことだけは確かなのだから、せめて謝罪のひと言くらいあっても良いのではないかと思ったが、それを言うのは上司の役目だった。

「変なヤツ」

だが、長身痩軀《そうく》の老人を送り出した途端、沢木が呟いた感想は、それだけだった。まあ、良い。どうせ長くてあと一ヵ月足らずだもの。あとは、とっととエリート街道をばく進してくれれば、それで良いのだ。現場は何も変わらない。

所轄《しょかつ》署の刑事は六部制で勤務している。つまり六日に一度、いわゆる夜勤の日が回ってくるローテーションということだ。機動捜査隊にいたときは勤務体制は三部制で、こちらの場合は三日に一度の泊まりがあったから、一見すると所轄署勤務の方が楽そうな印象を受けるのだが、実際には機捜の方が残業もなく、勤務時間が正確な分だけ、ある意味ではリズムを作りやすかった。所轄署にいる限りは、必ずいくつかの仕事を引きずっているものだし、五時半でぴたりと仕事を終えられることなど滅多になく、逆に勤務時間は不規則になる。とりあえず、以前に比べればほぼ毎晩、きちんと帰宅できる嬉《うれ》しさはあるものの、どうも新しいリズムに慣れるまでには、まだもう少し時間がかかりそうだった。

「それじゃあ、お先に」

ところが、貴子が先ほどの三方幸三郎の一件を、どう報告書にしてまとめようかと四苦八苦している間にも、沢木警部補は五時半を回るとぴたりと帰っていく。お客様気分の彼は、自分が職場に残っていても仕方がないことは承知しているらしく、また、誰からも引き留められたり、とがめられたりしないことも、十分に諒解《りようかい》している様子だった。

――まあ、いいけど。

たとえつかの間でも目の上のたんこぶがなくなれば、それだけでも気が楽になるというものだ。まだ何となくなじめない自分のデスクに向かい、貴子はぽつぽつとワープロを叩《たた》いていた。

「今年こそ、のんびりと花見でも出来るかと思ってたんだがなあ」

ふいに濁声《だみごえ》が響いた。貴子のいる通称デカ部屋の、強行犯捜査担当のブロックからは少し離れた、盗犯捜査担当のブロックからの声だった。顔を上げると、桑田という中年の刑事が、チェックの上着の間からせり出した腹をさすりながら、大きくのびをしているところだった。

「しょうがないじゃないっすか。異動にならなかったんだから」

同じ盗犯担当の若い刑事が、半ば冷やかすような表情で答えている。多分、まだ三十歳にならないくらいだと思うが、意外に人なつこい雰囲気の刑事だ。桑田が「だよなあ」と、つまらなそうな顔で頷く。

「このまんまじゃあ、桜の花が嫌いになるな」

「僕も、ここの署にいる間は、桜の花は嫌いっすね。申し訳ないけど、もう、あの花見客を見ただけで」

そういえば、隅田川は桜の名所だ。もうすぐ桜が咲くと、大変な数の花見客が繰り出して来るに違いない。そういう場所を管内に抱える警察署にとっては試練の時を迎えることになる。無論、主に警備課が忙しく動き回ることになるのだろうが、そんな場合には、署員全員が何らかの仕事を振り分けられるに決まっている。

「ここは本当、面倒だ。町工場が多いせいもあって、意外に流動人口が多いしな。隅田川のお陰で、浅草側ほどではないにしろ、花見の季節と夏の花火の頃は大変な騒ぎになる。入り組んだ住宅街も多いから、ひとたび火事でも起こったらえらい騒ぎだし、独居老人が増えてもいる。都会のど真ん中に見えて、すとん、と抜け落ちたみたいに味気ない、まるで娯楽のない部分もあれば、路地と、やたら真っ直ぐな道が多いせいで、小さな事故もひっきりなしだ。意外に家賃が安いせいもあって、不法滞在の外国人なんかが逃げ込んでる場合もあるし、この不景気で、空き家や空きビルも増えてるときてる」

異動になってきた当初、都筑課長は、そんなことを言っていた。どこの町にも、それぞれの個性や特色があるものだが、たとえばベッドタウンとして新しく開発されていった町や、大きな工場などを中心として開けていった町などに比べ、古くからの下町は、それだけの歴史が積み重なっている分、複雑な表情や様々な事情を持っている。多彩で興味深いということは、貴子たちの立場からすれば、その分、犯罪傾向が摑《つか》みにくく、全体の把握がより困難であるということにつながる。

「ああ、畜生、誰もいないところで花見がしてえ」

「休暇でも取って、どっかの田舎に行くんじゃなけりゃあ、無理だな」

「あの時期に休暇なんて、口にしただけでぶっ飛ばされますって」

出来れば自分も会話に加わりたいと考えながら、男たちの会話を聞き、ぽつぽつとワープロを叩いていたとき、強行犯係の内線電話が鳴った。

「相談者が来ているんですが」

受話器を通して受付の婦警の声がする。

「相談者ですか」

これが、所轄署の仕事の一つだった。機捜にいる時のように、一一〇番通報によって車で駆けつけるのでもなく、パトロール中に発見するのとも異なって、関係者が自分から警察署にやってくるというパターンだ。

「自宅の門扉《もんぴ》がこわされ、植木鉢が割られたりしているそうなんです」

「自宅の。家の中も入られているんですか」

もしも、そうならば侵入盗事件と考えた方が良いのだから、花見の話をしている盗犯係に回すべき事案とも考えられた。だが婦警の声は、「それは、ないそうです」と答えた。

「それが、今日が初めてではなくて、これまでにも何度か、そういう嫌がらせのようなことをされているということなんですが」

それならば、貴子たちの担当かも知れなかった。「分かりました」と電話を切り、さて、どうしたものかと辺りを見回すが、貴子の係だけでなく、刑事課の部屋全体が、がらんとしてほとんど人気《ひとけ》がない。

「とりあえず、話だけでも聞いてやったらどうだい。その後の処理は、係長なり課長なりが、帰ってきてからってことにして」

さっき太鼓腹を撫《な》でさすっていた盗犯係の桑田刑事が、椅子《いす》に寄りかかったまま、いかにもさり気ない口調で声をかけてくれた。

「機捜で扱ってたみたいなヤマは、所轄じゃあ、そうはないからさ。まあ、こっちから見りゃあ些細《ささい》なことなんだろうが、向こうはすぐに話を聞いて欲しくて、来てるんだから」

これまで、まともに会話した記憶もほとんどない相手だった。だが、どこか身構えたままの貴子に比べて、先方はことさらに貴子を女だと意識していないのかも知れない。その気軽な話し方が有り難かった。貴子は軽く礼を言うと、まだほとんど減っていない名刺とメモ帳を持って、刑事課の部屋を後にした。

隅田川東署は、三年前に新庁舎が落成したという話で、全体に明るい印象の、いわゆるインテリジェント・ビルだった。古い庁舎との大きな違いの一つとして、とにかくエレベーターがスムーズで速いことがあげられると思う。古い警察署の場合、下手にエレベーターを利用しようなどと思うと、かえって時間がかかり、苛立《いらだ》つことも珍しくはないのだが、隅田川東署の三基のエレベーターは、コンピュータで制御されているのか、見事に庁舎の各階の間をばらつきながら上下していて、待ち時間も少なく、しかもスムーズに動く。これが、貴子にとっては快適だった。

「あれ、もう帰り？」

下りのボタンを押してから、ものの十数秒しか待たなかったところで、一つのエレベーターの扉が開いた。その向こうから姿を現した藪内奈苗が、貴子の顔を見るなり快活な声を上げた。貴子は自分も微笑《ほほえ》みながら首を振った。

「相談者が来てるっていうんで、ちょっと話を聴きに行くところです」

「早く終わりそうだったら、帰り、一杯やっていかない？」

警視庁のロゴが入った紺色のつなぎ姿の彼女は、化粧気のない顔で悪戯《いたずら》っぽくこちらを見る。

「私も何だかんだ、まだしなきゃならないことがあるから。適当な頃までなら待ってるわよ」

「じゃあ、こっちも早く終わるようだったら」

奈苗と入れ違いにエレベーターに乗り込み、閉まりつつあるドアに遮られていく彼女に笑顔を返し、貴子は、ほうっと息を吐いた。実は、先週も先々週も、奈苗からは、飲みに行こうと誘われていた。だが、一度目は管内で侵入盗事件が発生して、奈苗の方がかり出されて駄目になり、二度目の時は、傷害事件が発生して、貴子の方が動かなければならず、やはり約束は果たされなかった。果たして今日は三度目の正直となるだろうか。

——早く、上がりたい。

仲間と飲みに行くというだけで、こういう感覚になるのは、実に久しぶりだ。第一、仕事帰りに、同性の仲間と一杯やるなどということ自体、少なくとも立川にいた数年間には一度も経験出来ないことだった。

こうなったら、今日のところは手っ取り早く相談者の話を聞いてやり、明日以降、上司の意向も聞いた上で、適切に処理するからと答えておくのが良いかも知れないなどと考えながら、貴子はエレベーターが一階に到着するのを待った。

「お待たせしました」

受付前の長椅子が並べられている空間に、その女は、どことなく申し訳なさそうな風情《ふぜい》で腰掛けていた。四十代の後半か、五十歳近いだろうか。艶《つや》のない短い髪に茶色いニットのカーディガン、ジーパン。足もとは毛糸で編んだ室内履きのまま、きゅうくつそうにサンダルを引っかけているという具合で、勿論《もちろん》、化粧気もない。彼女は、どこかおどおどとした様子で貴子を見た。

「あの——刑事さんに、話を聞いてもらえるって言われたんだけど」

「私がそうです」

貴子が差し出した名刺を、しげしげと眺めて、女は、わずかに迷った表情になる。

やはり、男でないと頼りないと思われるか、信用してもらえないのだろうかと考えそうになった矢先、彼女の口から「その方が、いいか」という呟《つぶや》きが洩《も》れた。

「女の刑事さんの方が」

　そして彼女は、改めて貴子の方を見て、「ねえ」と同意を求めるような表情になる。まだ何を聞いているわけでもないのだから、迂闊《うかつ》に返事は出来なかった。それでも、「男でなければいやだ」などと言われるよりは、ましだった。

3

　刑事課の部屋の隣にある、ほんの小さな空間に相談者を案内して、貴子はまず、彼女の住所と氏名から聞くことにした。どういう訴えを受けるにせよ、まず相手の住所と氏名、連絡先などを尋ねることが、この仕事では欠かせない。

「大笹文子《おおざさふみこ》といいます。墨田区吾妻橋《あづまばし》三丁目二十八の四。電話は――」

　ぼんやりとだが、大体の位置は頭に浮かぶ。相手の言う番号を控えながら、貴子は、隅田川に流れ込んでいるはずの、澱《よど》んだ小さな川を思い浮かべていた。

「ご家族は」

「五人家族です。母と、妹と、妹の子どもが二人」

五人と聞いて即座に思い描いた家族構成とは、少しばかり違っていた。貴子は「なるほど」などと言いながら、淡々とペンを走らせた。必要がないのなら、余計なことを聞くことはない。「それで」と顔を上げ、改めて相手の顔を見つめると、大笹文子と名乗った女性は、待ち構えていたかのように、自分も頷《うなず》きながらわずかに身を乗り出してきた。

「本当は、相談しようかどうしようか、迷ったんですよね。あんまり根ほり葉ほり——っていったら何だけど、家の中のことまで、あれこれ聞かれるのも面倒っていうか、嫌だし。こっちだって、ほら、言いたくないことまで、言わなきゃならないことも、あるかも知れないじゃないですか。だけど、もう、限界っていうかね。こりゃあ、もう見過ごせないっていうか、そんな感じになったもんで」

「つまり、これまでにも何かあったんですか？」

文子は口をへの字に曲げて、いかにもうんざりした様子で大きく頷いた。薄くて短い眉《まゆ》に細い目。小さくて貧相な鼻。口は大きめだが唇が薄い。顎《あご》と頬の骨が張っているせいもあってか、表情の乏しさからか、彼女は頑固そうで、また薄幸そうに見えた。

「もう、数え上げたらきりがない。最近じゃあ、もう、来る日も来る日も、今日は何かされてるんじゃないか、今日はどこか壊されてるんじゃないかって、もう胸がドキドキしちゃって、夜だって、おちおち寝てもいられないんですから」

「具体的にいいますと、たとえば今日は、どんなことがあったんでしょう」

受付の婦警の話では、たしか、家の門扉と植木鉢を壊されたということだったと思う。だから侵入盗の可能性を疑ったのだが、文子の話しぶりでは、それも突発的なことではないらしい。

「私、今日は午後からちょっと出かけてたんです。すぐ近所ですけどね。それで、さっき戻ってみたら、門の掛け金っていうかね、右と左の門の間に、こう、渡すみたいなところが完全に曲げられてて、塀に沿って並べてあった植木鉢がいくつか割られてて、もう、外から見ても『あっ、あいつが来やがった』って分かるようなことになってたんですよね」

「あいつ、ですか」

「そう、あいつ」

「誰が来てるか、ご存じなんですか」

「知りゃあしません。でも、いつも同じヤツが、そういうことやってるに決まってるんですから。だから、あいつ。こっちが留守の時に限って」

「それで、家の中は」

「分かりません。だって、今日という今日は、もう嫌だと思って、その足でここに来ちゃったんですから」

「お宅は、誰もいらっしゃらないんですか？」

「いないと思いますけど。ああ、妹の子どもだけ、帰ってるかも知れないです」

そこまで言って大笹文子は、初めてはっと表情を変え、「あの子、帰ってるかしら」と呟《つぶや》いた。

「あの、電話は」

そわそわした様子の相談者に、貴子はジャケットのポケットから自分の携帯電話を取り出して、差し出してやった。だが文子は、怯《おび》えたような表情で「かけ方が」と呟く。そんなものかも知れない。今の世の中にだって、携帯電話など無用な人はいくらでもいる。

「じゃあ、私がかけますから。よろしいですね？」

確認の上で、相手から聞いたばかりの番号をダイヤルする。数回のコール音の後で、留守番電話のテープが回り始めた。

「留守番電話になってますね」

「あ、じゃあ、まだ学童保育にいるのかも知れないです。下の子は、うちの母親が仕事の帰りに、保育園に迎えに行くことになってますから」

文子はようやく安心した表情になり、ほう、とため息をつく。電話をポケットに戻しながら、貴子は、果たしてこういう事案をどう処理したものだろうかと考えていた。だが、とにかく具体的な被害に遭っているのだから、検分をして報告書を作成しなければならない。明日？　課長か係長の指示を待って？　出来れば、そうしたかった。

「刑事さん、なんですよね」

「そうです」

「これから、ちょっと一緒に来てもらえませんか。このまま帰って、また何かあったら、私、嫌なんで。その、門のところとか植木鉢とか、見て欲しいし」

「――分かりました」

相手は困っている市民だった。明日にしてよ、今夜は仲間と飲みに行きたいの、などと、言えるはずもない。すぐに支度をするので待っていて欲しいとだけ言い残して、貴子は刑事課の部屋に戻った。いつの間にか、同じ係の日下部係長と石松主任も戻ってきていた。貴子は大笹文子の訴えを簡単に説明し、これから検分に行きたいのだがと申し出た。

「以前から繰り返し被害に遭ってるようなことを言ってるんです。まだ具体的に細かい話までは聞いていないんですが」

日下部係長は、お客様扱いの沢木警部補と階級的には同じだが、こちらは正真正銘の叩《たた》き上げのデカだった。年の頃は四十二、三だろうか、一見すると体育教師のような雰囲気の、比較的長身で面長の男だ。

「本当なら俺が一緒じゃないとまずいんだが、困ったな。こっちも、これから予定があるし」

「この前の傷害の被疑者《マルヒ》がさ、女のところにしけこんでるらしいってたれ込みがあったんだ」

若い方の石松主任が、張り切った表情で言った。貴子は少し羨《うらや》ましい気分になった。何となく、そちらの方が派手で面白そうだ。

「じゃあ、私が一緒に行きましょうか」

その時、奈苗が話に加わってきた。既に私服に着替えて、貴子を待っていたらしい。

「もしかすると、写真を撮っておいた方がいいようなこともあるかも知れないじゃないですか。だから機材持って、私が一緒に行きますよ」

奈苗の、いかにも気軽な様子を見て、少し考える表情になっていた日下部係長も、そうだな、と頷く。

「ベテランが一緒に行ってくれれば、音道も心強いだろうし——」

「まあ、少なくとも、明日になって、またあの方と一緒に行動するよりは、まだ私の方が役に立つとも、思いますしね」

そこにいる誰もが、「あの方」というのが沢木警部補のことを指していることを察して薄く笑った。日下部係長も、笑いながら「じゃあ、悪いがそうしてくれるかな」と言う。

「飲みに行くはずが、こんなことにつき合わせることになっちゃって」

「いいって、いいって。早く終わらせて、それから行けばいいじゃない」

手早く支度を整える間、貴子は小さく拝む真似《まね》をした。だが奈苗は、どうということもないという表情で、さっさとカメラにフィルムを装塡《そうてん》している。今日の彼女はグレーのパンツスーツにピンクのシャツという出《い》で立ちで、いつの間にか化粧も直しており、肩からカメラをかけたりすると、警察官というよりは、むしろ雑誌記者か何かに見えた。日下部係長といい、藪内奈苗といい、今度の職場には、あまり警察官臭さをまとっている人物が多くないようだ。

「私はずっと鑑識畑だけど、その代わりに現場の数は結構、見てるから。デカさんたちのものの見方も大体は分かってるつもりよ」

「助かります」

「それより、帰り。どこで飲む？」

「私、まだこの辺のことが分かってないんで」

「じゃあ、任せてくれる？　好き嫌いは？」

「海鼠《なまこ》とカボチャが駄目です」

正直に答えたつもりだったのに、奈苗は「変なの」と言って笑った。

待っていた大笹文子を捜査課の車に乗せ、助手席には奈苗に乗ってもらって、貴子は既にすっかり夕闇《ゆうやみ》の中に沈もうとしている町を走り始めた。幹線道路は夕方の渋滞が始まっている。ことに隅田川東署がある界隈《かいわい》は、オフィスビルとマンションばかりが建ち並ぶ一角で、町並みとしてはまるで味気なく、しかも、京葉道路を始めとして、蔵前橋通り、浅草通り、三ツ目通りに四ツ目通り、明治通りと縦横に大きな道路が通っているお陰で、空気が悪い。車のヘッドライトが、ぼんやりと濁っている空気を探るとき、貴子は思わず、ひどいものだと思ってしまう。これでは、街自体が煤《すす》けて見えるのも仕方がない。

「うちの前までは、車、入れないんですけど。少し手前から私道になっちゃうし、うるさい人が住んでるし、何しろ狭くて」

指示された道順の通りに車を走らせるうち、背後から大笹文子が言った。

「じゃあ、私道の手前で降りましょう」

「これで、もしも救急車でも呼ばなきゃならないようなことになったら、どうしようって、いっつも思うんですけどね。とてもじゃないけど」

「でも、一戸建てなんですね？　この辺りでは珍しいんじゃないんですか」

「まあ、そうかも知れないですけど。でも、私なんかマンションの方がいいと思っちゃうわ。物騒じゃないし、戸締まりだって簡単だし」

ハンドルを握りながら、前と後ろで会話する間、隣の奈苗はひと言も口をきかなかった。鑑識係員というのは、常にそうだ。普段はどれほど快活で話し好きであろうとも、一旦《いったん》、仕事をする態勢に入ると、まるで影のようになる。個人の主張や個性をかき消して、ひたすら証拠を収集し、分析する機械のようになるプロの集団だった。

やがて、文子が「この辺で」という場所で貴子たちは車を降り、後は三人で歩くことになった。この、空気の濁った下町は、広々とした道路から少しでも外れてしまうと、今度は逆に深い闇に閉ざされる。むしろ、町自体が古いだけにコンビニエンスストアなども数が少なく、さらに街灯も地味で薄暗い場合が多くて、人の密度が濃い割に、ひっそりと淋《さび》しい雰囲気が満ちるのだ。

「もう、すぐですから」

確かに、この辺りは緊急車両が入りにくい。万が一の場合のことも考えた方が良さそうな一角がいくつもあった。やがて文子は、一つの路地を曲がり、さらに、その先の斜めになっている道を曲がった。つい今し方まで、どこまでも集合住宅が連なっているると思ったのだが、その一角だけに、普通の一軒家が、肩を寄せ合うようにしてひしめき合っていた。

「突き当たりが、うちなんです」

さっきよりも声の調子を一段落として、文子が言った。その家には門灯が灯《とも》り、さらに玄関脇《わき》の窓からも、オレンジ色の光が漏れ出ていた。文子が「あら」と言った。

「お母さんかな」

そして彼女は、すたすたと門に向かった。貴子と奈苗とが門扉《もんぴ》の状態を確かめようと思う間もなく、彼女は「お母さあん？」と声を張り上げながら、もう門を抜けて玄関の扉を開けていた。オレンジ色の光を受けて、文子のこんもりとした丸い背中が大きな影に見えた。

それからおよそ二十分ほどかけて、貴子と奈苗とは、大笹文子の家の周囲を丁寧に見て回った。実際には、五分もかければ十分だと思うくらいに狭い家だったが、さすがに奈苗の方が、人一人通るのがやっとという程度の、外壁とフェンスとの隙間《すきま》を丁寧に見て歩いたことから、それだけの時間がかかった。

彼女は、わずか数歩、歩くだけの間にも、フェンスと外壁との間をくまなく点検し、また、窓がある場合には、その窓や、家の外壁なども丁寧に見て回った。その間、貴子は後ろから懐中電灯を持って、奈苗の手元や足下を照らすばかりだった。

「ほら、見て、これ」

最初は文子が言っていた通り、門扉の異常と植木鉢に気づいただけだった。だが、よく見てみると、ことに門扉に関しては、ブロック塀に打ち込まれている蝶番《ちょうつがい》の周囲も、よほどの力を込めてガタガタと揺すったか、または無理に壊そうとしたような形跡が見て取れた。それを認めたときに、貴子は反射的に、背筋がぞくぞくするのを感じた。確かに、この家は狙《ねら》われているのかも知れないと、ほとんど本能に近い部分で、そう感じた。

「ほら、ここにも」

二人でごそごそと狭い隙間を歩き回るうちに、他にもいくつか、不審な点が見つかった。まず、燃え残ったマッチ棒が何本か、まとめて落ちているところがあった。猫用の缶詰が開かれた状態で置かれているところもあった。さらに、窓の外にはめられているアルミの格子《こうし》が、わずかに曲がっている場所も発見された。その上、その傍の外壁に、かなり大きいと思われる手の跡が、べたりと残されているところまで発見されて、貴子の中にはある確信が生まれた。明らかに、この家は狙われている。

やがて、ようやく家を一周した奈苗は、小さくため息をついた後で、深刻な表情になって貴子を見た。

「身に覚えはないんだって？」

「まだ、そこまでは聞いてないんですけど」

「聞こう、聞こう」

二人でこそこそと相談をして、それからようやく玄関先に顔を出す。すみません、と声をかけると、文子の代わりに、電灯の光を受けているせいとばかりは思えない、オレンジ色の髪をした女が顔を出した。

4

オレンジ色の髪の女は、大笹宇多子《うたこ》と名乗った。文子の母親だという。貴子は、一通り家の周囲を点検して回ったこと、その結果、いくつかの不審点が発見されたことを話したが、彼女は特に怯《おび》える様子も、驚く様子もなく、ただ「あ、そうですか」と答えただけだった。疲れて帰ってきたのに、家に誰もいなかったばかりでなく、夕食の支度も出来ていないことに、彼女は腹を立てている様子だった。その文句に、さっきから文子が「だって」と繰り返して言い訳をしているらしかったことは、家の外からでも聞こえていた。

「そりゃあ、まあね、ご丁寧に見つけていただいて。はいはい、ご苦労様でした。せいぜい、気をつけますから」

宇多子は相当に不機嫌そうだった。まるですぐにでも追い払われそうなその剣幕に、ほとんど気圧《けお》されそうになりながら、後ろからは奈苗にはっぱをかけられる形で、貴子は半ば無理矢理、家に上がり込んだ。

「お母様は、失礼ですが、おいくつでいらっしゃいますか」

「そんなこと、答えなきゃならないわけ?」

まずは初歩的なことから聞こうかと思ったのだが、何しろ機嫌が悪い。宇多子は酒と煙草《たばこ》でつぶしたような、ハスキーというよりも、かすれた低い声で「関係ございませんでしょ、そんなこと」と続け、煙草に手を伸ばした。

とりあえず貴子たちを居間に通したものの、文子に向かっては「余計なことして」と、あからさまに言ってのけた彼女は、続けて「手短にしてくださいよね」と言った。まるで、こちらから頼んで話を聞きに来ているかのようだ。

六畳ほどの居間は和洋折衷というか、新聞の折り込み広告などで見る、通信販売の安売り家具が一通り並んでいるような雰囲気の部屋だった。とにかく物が多い。その隙間を埋めるように、洗濯物や古雑誌が散らばり、それらに混ざって子どもの玩具《おもちゃ》までが転がっている。そんな空間を、時折、転がっている玩具を踏んづけて転びそうになりながら、さっきからちょろちょろと小さな女の子が歩き回っていた。頭でっかちの子は愛想良く、見知らぬ来客にも、ただにこにこと笑顔を振りまいては、歩き回っている。つけっぱなしのテレビからはアニメの映像と激しい効果音、それに甲高い声が溢《あふ》れたままだ。ぬいぐるみ。ワゴン。サイドボード。片隅のタンスの上には、ハンディタイプのカラオケと並んで、小さな仏壇。そんな居間の中央で、貴子と奈苗とは、スイッチの入ってない、ひんやりとするコタツに足を入れた。

「いいですよ、あたしの歳《とし》なんか。大体ね、そんな、警察なんか呼ぶような、そういうことじゃないんですってば」

「だって、お母さん――」

母親に叱《しか》られ、今は台所で夕食の支度に取りかかっていたらしい文子が、不安そうな顔を覗《のぞ》かせた。だが宇多子は「何なのよ」と、さらに表情を険しくした。

「いい年をして、ちょっとしたことにもオドオドオドオド。大丈夫って言ってるじゃないよ。第一、こんな家に誰が入ってきたって、盗《と》ってく物なんか、ありゃしないんだから」

「気持ち悪いと、思わないの？　ただの泥棒じゃなかったら、どうすんのよ」

「ただの泥棒じゃなかったら、じゃあ、あんた、何だっていうの、誰が来てるっていうのよ、ええ？」

「だって、こんなに繰り返して色々やられてるんじゃないのよっ。下着まで盗まれてんのに」

「だから、あれはあんたの気のせい！　そんな、あんたやあたしの下着を盗むような物好きが、どこにいるんだって言ってるでしょうがっ」

「だって、現になくなってるじゃないのっ」

「風に飛ばされたんだよ。あんたが、ちゃんと洗濯ばさみでとめておかなかったんじゃないの」

「そんな馬鹿《ばか》な。いくら何だって、そこに干した物全部が、風で飛んでくはずなんて、ないじゃないよ、もう」

　母と娘とは、貴子たちがいることも忘れたように、ぽんぽんと言葉の応酬を始める。少しの間、貴子は奈苗と並んで出された茶を飲み、家の中を観察していた。はっきり言って、まるで行き届いていないことが分かる。さっき文子から聞いたところでは、どうやら男の家族はいない様子だったが、女ばかりの家にしては、全体に雑然として、あまり快適な印象も受けなかった。

「じゃあ、あんたは誰だって思うのさっ」

「――知美《ともみ》の、ほら」

　文子が声の調子を落とした。途端に、宇多子の眉間《みけん》に険しい皺《しわ》が寄った。それにしても、まるで化粧気のない娘に比べて、母親である宇多子の、この化粧の濃さはどうだろうか。口紅は毒々しい赤、眉《まゆ》は茶、その上、アイラインからアイシャドウ、マスカラに至るまで、塗れるものはすべて塗ったという印象だ。文子が四十六と言っていたのだから、若くても六十代の半ばにはなっていると思うが、これだけ厚化粧をされてしまうと、かえって大年増《おおどしま》に見えなくもない。顔全体が粉を吹いて、ちょっとした陰影さえも深い皺に見せてしまっている。

「知美の？　直弘《なおひろ》？　あんた、あんな男が、来るはずがないじゃないのよ。そんな度胸が、どこにあるんだってえの！　来られるもんなら、来てみりゃあ、いいのよ」

「だから、正面から来られないから、こそこそと――」

「植木鉢割ったりなんか、してるっていうの？　あたしらの下着を盗んだり？　冗談じゃないっ。そんな変態野郎は、だったら、警察にでもどこにでも、突き出してやりゃあいいんだ」

「だから！　だから、警察の人に来てもらったんじゃないのっ」

文子が精一杯という様子で声を張り上げた。すると、宇多子は初めて合点がいったという表情になって、真っ赤に彩《いろど》られた唇で「ああ」と間の抜けた声を出した。

「なるほどね。ああ、直弘のことを心配してね。それじゃあ、ああ、分かんないじゃないわ」

「あの、直弘さんと仰《おつしや》るのは」

ようやく貴子が口を挟んだ。宇多子は、少しばかり機嫌を直した表情になって、直弘とは、彼女の下の娘の、別れた夫の名前だと答えた。

「下の、お嬢さんの」

「つまり、このチビちゃんたちの父親ですけど、ああ、もう一人ね、チビちゃんの上にお姉ちゃんがいて。要するに、うちは女系家族ってわけなんですけどね」

そこまで言って、宇多子は不意に「そういえば、ルミたんは」と文子を見る。文子は壁に掛けられた時計を眺めて「そろそろ戻るわよ」と答えた。チビの姉はルミというらしい。

「最初っからね、反対だったの。私はね。そうしたら、ほら、案の定。これがもう、飲む打つ買うの、どうしようもない男で、その上借金まで作って、暴力も振るって、世の中で最低な男の見本みたいな、詰め合わせセットみたいな奴《やつ》でしてね、だから、別れさせました。もう、何年になるかね」

「はるかが、まだお腹《なか》にいたのよ」

「ああ、そうか。じゃあ、三年ちょっと前かね」

「そろそろ、四年」

つまり、チビの名前が、はるか。そして、現在は三歳ということか。どうも、質問のしにくい家庭だった。

「つまり、その離婚は円満ではなかったんでしょうか」

「当たり前でしょうが。あなた、そりゃあ、もうね、男と女が別れるときなんていったら、大概が修羅場よ、修羅場」

「――その、直弘という人は、今も下のお嬢さんに未練があるとか――」

「そりゃあないと思いますよ。子どもにも興味はなかったしね、もう全然。ただ、食いっぱぐれるとね、別れた女を思い出したりすることって、あるんですってば。お堅い婦警さんになんかは、分からないようなことかも知れないですけど」

失礼なことを言ってもらっては困ると言いたかった。堅かろうが、柔らかかろうが、これでも多少の経験は積んできているつもりだ。だが、そんなことを、この厚化粧の女に自慢したところで、どうなるものでもなかった。貴子は黙って、まだほとんど何も書き込んでいない手帳の白いページを見つめていた。

「まあねえ、何が幸せで、何が不幸かなんか、分からないわねえ。私は、そりゃあ亭主にも恵まれて、娘を二人産んで、平凡でもね、ああ、恵まれてるなあと思ってたら、ある日、突然、亭主が事故で死んじゃって。残ったのは、建てたばかりのこの家のローンと、小さな娘が二人ってことになって、もう、それから三十三年、ずうっと働きづめで来てるわけですよ、ねえ?」

だからこそ、二人の娘には幸福を摑《つか》んでもらいたい、穏やかな人生を歩んでもらいたいと思ってきたのに、長女の文子は、元来が暗い性格で人嫌いなためか、ついに一度の結婚も経験することなく、ずっと家に貼《は》りついたままで現在に至っている。とりあえずは編み物の手内職のようなことをしているが、とてもではないが家計を支えるところまでの稼ぎはないという。

一方の知美の方は、社交的なのは結構だが、中学生の頃から遊び癖がついて、結局は暴走族上がりの男に引っかかったり遊び人風の男にだまされたりして、挙げ句の果てに、二人の娘を連れて家に戻ってこなければならなかった。現在は錦糸町《きんしちょう》のスナックに勤めているという話だった。

「結局、周りの人が皆、楽隠居してる頃になってもさ、私だけは未《いま》だに仕事を辞めることも出来なけりゃあ、その上、孫のお守りまでしなければならない人生なんですから。もう、貧乏くじだよ、本当に」

「今、どういうお仕事をされていらっしゃるんですか」

「今？」

新しい煙草に火を点《つ》けながら、宇多子はしわがれた声で「要するに、セールス・レディね」と呟《つぶや》いた。宇多子の外見に「レディ」という言葉は、あまり似合わない。

「私、ほら、亭主に死なれてからずっと、化粧品のセールスしてきたんですよ。これでも、成績良かったんですから。だから、この家も手放さずに済んだんですしね。だけど、さすがに、もうこの歳になっちゃったから化粧品ていうわけにもいかなくなったんで、今はねえ――」

くわえ煙草のまま、宇多子は口紅と同じ色のマニキュアを施した手で、自分の脇《わき》に置いてあった大振りの鞄《かばん》をごそごそと開いて、一枚のパンフレットを取り出した。「終《つい》の棲家《すみか》」という文字が飛び込んできた。貴子がパンフレットを受け取り、簡単に目を通している間、隣からも奈苗が覗き込んでいた。つまりは介護システムつきの終身ケア・マンションというものらしい。

「すごいのよ、もう。二十四時間体制で、お医者さんと看護婦さんも常駐待機してますしね、万一の場合は、契約を結んでいる病院に、いち早く搬送できるようになってるの。下のレストランでお食事が出来るから、もう、おさんどんの心配もいらない、男性でも安心。場所によっては温泉がひけてるところもあるし、本当、ホテル並みなんですから。万一、眠っている間に、急に具合が悪くなったりしたら、何ていうの？　ナースコールみたいな、そういうので管理室に連絡できるようにも、なってるんです。遊戯室もあるし、バーもあるし、お仲間もすぐに増えますしねえ」

さっきまでとはまるで異なる、営業用の口調になって、宇多子はとうとうとマンションについて説明を始めた。貴子は半ば呆《あき》れ、半ば感心しながら、そのパンフレットを眺め、宇多子の説明を聞いていた。世の中には、そんなに贅沢《ぜいたく》なマンションもあるものかと思う。これも世の中の必要に応じて、生まれてきたものなのだろうか。

「都内にも二カ所あるでしょう、それから神奈川にも二カ所。静岡と、栃木と、これからも増えていくんだと思うんですけどね、これを、ご説明申し上げて、セールスして歩いてるわけ」

だが、あくまでも自分は最初の手がかりを作るだけの仕事だと宇多子は言った。要は不動産の売買になるのだし、素人《しろうと》の自分には分からないことが多すぎる。ただ、会社から渡されたリストを元に、高齢者の家を訪ねて回って、このマンションを販売運営している会社が主催する見学会に勧誘するのだという。送迎バスが出て、弁当も用意されており、一日のんびりと小旅行気分も味わえて、最後には土産まで出るというマンション見学会に誘って、相手が参加の申し込みさえすれば、宇多子には歩合で報酬が支払われるのだそうだ。

「そういうマンションみたいなものにはね、その辺の若い人が『いかがですか』なんて言ったって、誰も聞く耳なんか持ちやしないんです。でも、ほら、似たような年齢のあたしなんかが色んな話をしながら、少しずつすすめていくとね、お互いの心細さとかが分かるわけだから、ついつい、本音も出てくるってわけ」

なるほど、そういう仕事もあるのか。そうやって日夜、東京中を歩き回っているというのだから大したものだ。貴子は素直に感心していた。

「考えてみれば皮肉よねえ。そんなところに入って楽したいのは、こっちだっていうのに。人様にすすめるばっかりで、自分には、もう金輪際、無縁でしょ。働いて、孫のお守りして、これじゃあもう、惚《ぼ》けてる暇だって、ありゃしない」

「大変なんですね」

思わず感想を言うと、また台所から顔を出していた文子が、顔をくしゃりとさせた。

「そうはいったって、遊ぶときには遊んでるんですから。カラオケ教室に行って、フラメンコやって、年に一度は海外旅行もしてるし、若い演歌歌手は追っかけるし。私なんかより、よっぽど――」

「当たり前じゃないか」

宇多子は、かすれた声でぴしゃりと言った。

「働くだけ働いてんだから、遊ぶときは、遊ばなきゃ。あんたみたいに中途半端《はんぱ》にしか働けないから、遊ぶことも出来なくて、たぁだもう、ぐずぐずして、嫁にもいけなくなるんだよ」

相当にきつい母親らしかった。だが、言われ慣れているのか、文子は貧乏くさい顔つきのまま、小さく首をすくめるだけだ。その向こうからは、空腹を刺激する匂《にお》いが流れてきている。ちょうど玄関の方から「ただいまあ」という子どもの声が聞こえてきた。そろそろ暇乞《いとまご》いをする時間だった。

「話は戻りますが、では、今回のことはどうしますか。その——」

ちらりと視線を移動させると、開けっ放しの扉の横で、帰ってきたばかりらしい少女が、不思議そうな顔でこちらを見ている。その子は貴子と目が合うと、すっと通り過ぎていってしまった。貴子は声を潜めて「娘さんの元のご主人ですが」と言葉を続けた。

「こちらで、調べてみますか」

「どんなもんかしらねえ」

「お宅の外には、マッチの燃えがらが捨ててある場所がありました。それから、お風《ふ》呂《ろ》場《ば》かと思うんですが、窓の外のアルミの柵《さく》を、無理に引っ張ろうとしたような形跡もあります。ただの空き巣狙《ねら》いとか、そういう感じではないと思うんです。ご心配でしたら、早めに手を打たれる方がいいと思うんですが」

宇多子は、初めて真剣な表情になって腕組みをしたまま貴子の話を聞いていたが、やがて、はたと思いついたように「そういえば」と呟いた。そうして一人で宙を見据えながら頷《うなず》いている。

「そういえばね、何なのかなあっていうか、変だなあっていうようなことは、ちょいちょい、あったんです。だけど、まあ、私がこういう性格でしょう、で、文子の方は、本当にもう、指に棘《とげ》が刺さったくらいのことでも大騒ぎする子なもんだから、結局いつも喧嘩《けんか》になって、最後には『ええい、面倒だから放っときゃいい』なんて言ってね、そのまんまにしてきたことが、考えてみると、他にもあることは、あるねえ」

それから宇多子は改めて文子を呼んだ。いそいそと出てきた文子は、初めて自分の意見が通ったかというように、これまでに大笹家に起こってきた出来事を数え上げるように話し始めた。

「最初は、無言電話だったかと思いますね。それがしばらく続いて——ポストの郵便物がばらまかれてたことがあったり、玄関の前に生ゴミが捨てられてたことがあったり——ああ、一度なんて、窓を割られたことも、ありましたよ」

「窓を？　その時は、警察に通報は？」

「——しませんて、そんなの」

「それ、いつ頃から始まったんですか」

初めて奈苗が口を開いた。文子と宇多子の母娘《おやこ》は、互いに顔を見合わせるようにして首を傾《かし》げていたが、やがて、やはり妹の知美が離婚して、二人の子どもと共に家に戻ってきた頃からだと思うと答えた。

「直弘さんて、上のお名前は」

「伊関《いせき》です。伊関直弘ね」

「連絡先は、ご存じですか」

「知りませんて、そんなもの」

「では——知美さんからうかがっても、よろしいでしょうか」

だが宇多子は、知美も知らないと思うと、荒々しく鼻を鳴らした。

「離婚してから一度だって、連絡なんか取り合ったこともないですしね。お聞きになるのは自由ですけど、無駄だと思いますね。何だったら、私が聞いておきますけど」

でもあの子、最近、帰ってこない日もあるんですよ、と、宇多子は憮然《ぶぜん》とした表情で呟いた。

「本当に、いつまでたっても尻《しり》が落ち着きゃしないんだから。お姉ちゃんに半分やりゃあ、よかったんだ」

文子が泣き出しそうな顔で笑っている。どうやら三人の母娘は、この、入り組んだ地域の突き当たりにある小さな家で、実に微妙なバランスで共同生活を営んでいる様子だった。彼女たちのやり取りを聞きながら、もしかすると貴子だって、今も自宅で両親と暮らしていたら、母と、妹たちと、似たような会話を日夜繰り広げていたのかも知れないと思った。

「でも、まあ、そこまでしなくても、いいんじゃないのかねえ」

ようやく腰を上げようとしたときに、宇多子は面白くなさそうな顔で、ぼそりと言った。貴子は、一体何なのだと、つい表情が険しくなりそうになった。せっかくここまで聞いたのに。文子も慌《あわ》てた様子で「お母さん」と薄い眉《まゆ》をひそめた。

「ちゃんと、調べてもらおうってば。私、気味が悪いんだから」

だが母親は、気乗りのしない顔で「警察だなんて」と、さらに不機嫌そうな顔になっている。それでも、今度ばかりはといった様子で、文子は後に引かなかった。

「日中、ほとんど一人で家にいるのは私なんだからねっ。本当に気味が悪いんだから！　ちゃんと調べてもらえるんじゃなかったら、私、嫌だからっ」

「嫌だ、嫌だって、じゃあ、嫌ならどうすんだよっ」

「とにかく、明日から少し、調べてみますから」

間を取りなすように言ったのは奈苗の方だった。それまで、ほとんど口を開かなかった彼女が、重々しい口調で「何かの事件に発展する前に」と言うと、さすがの宇多子も目を瞬《まばた》きながらおとなしくなった。

5

翌日から、貴子は沢木警部補と共に、まずは大笹宇多子の自宅周辺を聞き込む一方、大笹知美に伊関直弘の所在を知っているかどうかの確認をすることになった。本来ならば、まだ大きな実害は生じていない段階で、犯罪としての認定も、はっきりとは行えない状況では、そこまで動く必要はないのだが、たまたま少しばかり手が空《あ》いていたということもあり、何しろ沢木が一緒では、本腰を入れて取り組むような事件には関われないだろうということから、都筑課長が、そう判断した。

「だけど、それってストーカーなんじゃないのか」

文子に電話で確認したところ、結局、昨晩も大笹知美は外泊したという。知美の携帯電話の番号も教わったのだが、何度、鳴らしてみても留守番メッセージが流れるばかりだ。それでは、さて、どこから動いたものかと考えているとき、沢木が不服そうな表情で口を開いた。

「無言電話、嫌がらせ、そんなのストーカーの手口に決まってるって、最近じゃ皆、知ってることじゃないか」

「——そうですね」

「だとしたら、刑事課の仕事じゃない。そういうのは生活安全課だよ。そうだろう？ストーカーは生安が扱うの。決まってるよ」

「——そうでしょうね」

「だとしたら、どうして僕らが動くんだ？　これって明らかに判断ミスなんじゃないのか？」

沢木は喋《しゃべ》るときに手を振る癖がある。くすん、くすん、と鼻を鳴らしながら、絶えずハンカチを握りしめた手を上下に細かく振る様は、いかにも気ぜわしい。落ち着かない。貴子は半ばうんざりしながら「そうですが」と若造を見た。

「たとえば、つきまといとか、嫌がらせとか、精神的被害に遭っているということなら、そのまま生安に送ることになると思いますけれど、今回の場合、明らかに家の一部を壊されたり、侵入された形跡があるわけです。第一、相談者の方からストーカー被害に遭っているなどという言葉が聞かれない以上は、うちの係で動くことになると思います。強盗か脅迫か放火か、そういう事件に発展する可能性があると判断されるわけですから」

沢木は、相変わらず潤《うる》んだ瞳《ひとみ》でこちらを見ていたが、やがて「あ、そ」と呟《つぶや》いた。

「そういうことね。それなら分かった」

まだ青年と呼んで良い年齢でしかない、このキャリア官僚の、まず感情の動き方というものが、貴子にはどうも分からない。喜怒哀楽の発生の仕方、人としてのシステムそのものが、違っているのだろうかと思うくらいだ。通常の場合、よほど気に入らない相手だって、共にいる時間が積み重なっていけば、それなりに感情の流れのようなものが分かってくるものだと思うのだが、こと沢木に関しては、貴子にはまるで理解出来なかった。願わくは、あまり長く一緒にいたくない。その思いが、日一日と強くなる。それだけは間違いがなかった。

「で、これからどうする」

いちいち口出しをするなと言いたくなるのを堪《こら》えながら、貴子は「聞き込みを」と答えた。

「聞き込み？　どこを？」

分からないのなら、黙ってついてくれば良いのだ。上からは、くれぐれも危険が及ばないようにと言い含められている。何しろ、沢木はまだ研修中の身だ。籍は警察大学校にある。正式に大学校を出て、今度、現場に現れるときには、彼はもう、すんなりと警部になっている。今さら、だからどうだとも思わないが、警部だ。貴子など、定年まで働いたとしても、警部までいかれるかどうか。

「大笹さんのお宅の近所でしょうね」

「ああそうか。目撃者探しね。見つかるものかな」

「——行ってみなければ、分からないことです」

「何か、もっと効率のいい方法、ないのかな。被害は続いてるんだろう？　監視カメラを設置するとか」

「誰が、設置するんですか？　費用は誰が出すんですか？」

それは、と言ったきり、沢木警部補はようやく口を噤《つぐ》んだ。肌が白い。おまけに毎日、数え切れないくらいに鼻をかんでいるせいで、鼻の周りの皮膚がむけてしまっている。唇は妙に鮮やかなピンク色をしているし、目元は赤く腫《は》れたままだ。こんな青年が、たとえば一人で電車に乗っていたとして、世間の誰が、日本警察の将来を担《にな》う男だと思うことだろうか。七五三のなれの果てのような、単に頼りない小僧っ子にしか見えない彼を。

昨日は車を使ったが、今日は歩くことにした。街には相変わらず排気ガスが充満している。けれど、その澱《よど》んだ空気を通しても、春のうららかな陽射《ひざ》しが届いてくる。胸一杯に深呼吸したいのは山々だが、煤煙《ばいえん》を吸い込むだけだと思うから我慢する。

――我慢、我慢。

深呼吸したければ、休日にどこかへ行けば良い。のびのびと仕事がしたければ、隣のキャリアがいなくなるのを待てば良い。そのうち貴子だって、昨日の大笹宇多子のように、思ったことを何でもぽんぽんと言えるようになりたいと思う。言っても良い年齢が、嫌でも来る。

それにしても、一回りも年下の上司を従えて歩くというのは妙なものだった。だが、前を行かせても道は知らない、どこの家を訪ねたって、口の利《き》き方も分からないのだから、どうしようもない。口調だけは丁寧に、まるでツアーコンダクターにでもなったつもりで、相手をリードするしかなかった。

「ずい分、ごちゃごちゃしたところだな」

大笹宇多子の家に近づいたところで、斜め後ろから沢木が言った。

「こんな小さな家に、何人で住んでるんだろう。すげえ、息が詰まるな」

はいはい。おおかた、あなたの家はさぞかし御立派な大邸宅なんでしょう。貴子は、沢木に聞こえないように小さく舌打ちをしてから、彼の方を振り返った。

「そういうこと、仰《おつしや》らない方がいいです」

「――独り言だってば。人になんか、言うわけないよ」

「――それなら結構ですが」

深々とため息をついてから、貴子は改めて振り返った。

「これから聞き込みをして回るわけですが、警部補が直接、なさいますか？」

沢木は小さく「え」と言ったまま、少し考える表情になったが、それから慌てたように首を細かく振った。

「出来ない。僕。無理だ。君がしてくれて、いいや。見てるから」

人見知りなんだ。緊張するし。それから少しの間、沢木は言い訳がましい言葉を並べ立てた。まあ、図々《ずうずう》しくしゃしゃり出てこられるよりは、ずっとましだ。貴子は「分かりました」と、にっこりと微笑《ほほえ》んで見せた。

「では、私の方で質問をしていきますので、警部補は、相手の言うことをメモするふりでも、なさってください」

「ふり？」

「ちゃんと、メモしていただければ、なお結構です」

すると沢木は、憮然《ぶぜん》とした顔で「ちゃんと、するってば」と言う。ああ、まるで小さな子どもを相手にしているようだと思いながら、貴子がまた微笑みかけたとき、沢木が「音道主任」と貴子を呼んだ。

「僕のこと、馬鹿《ばか》にしてますね」

「まさか。そんなはず、ありません」

「してるよ。こんなガキの相手なんてって、うんざりしてる」

今でも上司に違いないが、将来、ずっと上の地位に立つ男を、こんな駆け出しの頃から敵に回すと、自分の警察官としての将来はどうなるのだろうかと、ふと思う。けれど、見え透いた嘘《うそ》を言うのも嫌だった。貴子は改めて青年を見つめた。

「馬鹿にされたくなかったら、まず、その言葉遣いをお考えになった方がいいんじゃないですか」

「――言葉遣い？」

「子どもっぽいし、無神経だし、とても一人前の社会人と話している気には、なれません。立場はどうあれ、警部補は、社会人としてはまだまったくの駆け出しで、周囲の人すべてが、人生においてはご自分の先輩だということを、お忘れにならない方がいいと思います。それが、同じ警察官であろうと、どういう人であろうと」

沢木は、水でもかけられたような顔になって「言葉遣い」と小さく呟いた。貴子は小さくため息をつくと、そのまま歩き始めた。これで根に持たれると、予想もつかないくらいに不幸な結果が生まれるのかも知れないと思う。だが、そうなったら、そうなったときだ。今から心配しても、仕方がなかった。

それから沢木は、ぱたりと無駄口を叩《たた》かなくなった。貴子も、下手に機嫌をとるような真似《まね》はしたくなかったから、黙々と聞き込みを続けることにした。

大笹宇多子の家がある界隈《かいわい》は、昨夜も感じた通り、その界隈では少し珍しいくらいに、一戸建ての家が密集していた。ワンブロック離れてしまえば、もう鉄筋コンクリートのマンション群が連なっているし、道を一つ隔てただけで、小さな印刷工場やプレス工場などがあるような界隈なのに、もともとの地主の意向だったのか、どういう経緯からなのか、敷地面積にして二十坪にはならないと思うような小さな家が、二十軒ばかり、ごちゃごちゃとひしめき合っている。それらの一軒一軒を、貴子は端から順番に訪ねて歩いた。

「あそこの奥さんは日中、お留守でしょう？　だから、ほとんど、おつきあいもないですねえ」

「お子さんたちが小さいときにはね、何だかんだ行き来もありましたけど、最近は」

「昔はよく、怒鳴りあうような声も聞こえてましたよ。最近？　また、小さい子どもさんがいるみたいねって」

何軒の家を訪ねて歩いても、聞かれる答えは同じようなものだった。昼間でも、奇妙にひっそりと静まりかえっている界隈には、貴子が考えていたほど、昔通りの人情が残っているわけではないらしい。だが、よくよく聞いてみると、少しずつ見えてきた。要するに、大笹宇多子というあの母親が、ある時は隣近所に高い化粧品を売りつけたかと思えば、また、保険の勧誘をして歩いたこともあり、はたまた高額な鍋《なべ》のセットを売ろうとしたこともあるという具合で、どうやら、この地域社会では受け容《い》れられていないらしいのだ。

「女手一つで、二人のお子さんを育てなきゃならなかったんだから、そりゃあ色々とご苦労もあったとは思いますけど、ことにお金の絡《から》むことでね、隣近所でゴタゴタが起きると、後々面倒でしょう？　そういうところ、なりふり構わないような奥さんだったものだから」

「では、ご近所でトラブルが起きるようなことも、ありましたか？」

「私らはね、何だかんだいっても、やっぱり隣近所だし、そう、おおごとになるようなことは、ありませんでしたけれどもね」

宇多子の家から三軒ほど離れた、やはり小さな一戸建ての玄関先に現れたのは、髪が真っ白の小柄な老婆《ろうば》だった。下駄箱《げたばこ》の上には、煙草《たばこ》の空き箱で作られた番傘などが並べられて、最近では珍しいと思う玉のれんが、廊下の奥を目隠ししている。

「でも、どこかで誰かに怒られるっていうか、恨みを買うっていうか——そういうことなら、あるのかも知れませんねえ」

「恨みを、買ってらっしゃるみたいなんですか？」

老婆は、こんなことを自分が喋《しゃべ》ったと知れては困るのだがと前置きをした上で、実は、ずい分以前から、この近所では見なれない男が宇多子の家の周囲をうろついているところを、自分は何度か見かけているのだと言った。背後で「えっ」という声がした。狭い玄関口だけに、外に待たされている格好になってしまっている沢木警部補の声だった。

「その人、大笹さん家《ち》に、何かしてたんでしょうか？」

沢木が首だけ突っ込んできて口を開いた。ああ、やっぱり嫌な言葉遣い。貴子は思わず老婆の方を見てしまった。呆《あき》れられたり、気を悪くされては困る。

「何かって——そう、じろじろ見ていたわけじゃないですからね、細かいことまでは分かりませんけれど。でも、家の中に入りたそうにしていたり、門を、こう、がちゃがちゃさせたりね、そういうことは、ありましたよ」

「その人、いくつくらいです」

こちらが質問する前に、背後から声がする。それをとがめることも出来ないのが歯がゆい。貴子は仕方なく背筋を伸ばして、若い警部補のために身体《からだ》を端に寄せた。だが沢木は、玄関の中までは入ってこずに、ただ首だけを突っ込むようにしているままだ。老婆は「そうねえ」と少し考える表情になっていたが、やがて、「自分よりは若い」と言った。貴子は、つい笑いそうになってしまった。確かに世間一般から見れば、町ですれ違う大概の人が、この老婆よりは若いかも知れないと思ったからだ。だが、次の瞬間には、耳を疑った。

「まあ、でも、五つ六つっていうところじゃないかしらね」

「それくらい、若いっていうことですか」

伊関直弘の年齢は聞いていない。だが、そんな歳《とし》だとしたら、昨日の段階で宇多子が何か言っていたはずだ。あの毒舌を駆使して、いい歳をしてとか、小娘に手を出して、とか。

「そんなものだと、思いましたけれどもねえ」

「では――少し失礼な言い方になりますが、割合、こう、お年を召されているというか――」

「お爺《じい》さんですよ。もう、立派な」

老婆は、自分がこんなにお婆《ばあ》さんなのだからとくすくすと笑う。そして、今度の誕生日で米寿を迎えるのだとも言った。だが、目も耳も達者なようだし、第一、頭がはっきりしている。「お元気ですね」と頷《うなず》きながら、貴子は穏やかに微笑んでいる老婆を眺めていた。

「そのお爺さんて、どんな方でしたでしょう。顔立ちとか、背格好とか、覚えていらっしゃいますか？」

「そうそう、嫁とも話してたんですけどね、あの、何ていったかね、昔の映画スターに、あんな人がいたと思って」

「昔の映画スター」

そこで老婆は「何ていったかしらね」と首を傾《かし》げ始めた。

「嫁がいれば、すぐに分かるんだけれども、今、パートに出てるものだから」

狭い玄関先に春の風が吹き込む。玉のれんが微《かす》かに揺れて、かち、かち、と音を立てた。

「こう、姿は思い浮かんでるんですよ。何ていったかしらねえ。大友柳太朗でもないし、三船でもないしねえ、大河内でもないし、ええと、あれは」

この年齢の人に、急に人の名前など思い出させようとするのは酷だろうか、無理なことだろうかと思っていたのだが、やがて老婆は意外なほどに明瞭《めいりょう》な声で「そうそう」と言い、正座した薄い腿《もも》をぽん、と叩いた。

「三方幸三郎って、若い人はご存じないかしら。昔のねえ、チャンバラ映画なんかに、よく出てた、こう、目つきが鋭くて背の高いね、姿の良い役者さん」

思わず沢木警部補と顔を見合わせていた。つい昨日、会ったばかりの老人の姿が、鮮やかに蘇《よみがえ》っていた。

6

どこか霞《かすみ》がかったような薄ぼんやりとした空を、ヘリコプターが飛んでいく。そのプロペラ音が、ぱたぱたと、静かな町に響きわたっていた。昨日、東京地方にはソメイヨシノの開花宣言が出された。隅田川べりには、待ちかねたように花見客が繰り出し始めているはずだ。あのヘリコプターは大方、その桜か花見客の映像でも撮ろうとしているのだろうと考えながら、貴子はぼんやりと空を見上げていた。

別段、張り込みまでしなければならないようなことではなかった。だが、妙に張り切ってしまった沢木警部補が、是非とも一度、張り込みを経験したいと主張したものだから、結局、こういうことになった。老婆の証言から、三方が現れるのは主に昼前後だと聞いているし、老人が中学生とトラブルを起こしたのも昼を少し回った頃だったから、毎日、午前十一時から午後二時までに限定して張り込んでいる。そうして既に四日が過ぎていた。

——あの人のこと、分かっちゃったんですか。

三方幸三郎の名前をぶつけたときの、宇多子の驚いた顔といったらなかった。決まりの悪そうな、照れ臭そうな、いかにも困り果てたというような、何ともいえない表情になって、宇多子は「もう」とため息をついた。そんな母親を、文子と、そして珍しく家にいた知美は、まるで訳が分からないといった様子で見つめていた。

「ひょっとしてっていう思いはね、なかったとは言わないです、ええ。でも、何ていったって、天下の二枚目スターだった人じゃないですか。まさか、そんなことまでするなんて、思ってやしないですって、あんた」

そして宇多子は貴子の質問に答える形で、三方幸三郎との馴《な》れ初《そ》めらしきものを語り始めた。きっかけは、例のセールス・レディの仕事だったという。四年ほど前に、たまたま偶然、訪ねていった中に、三方の家があった。

「玄関先に出てきたとき、ちょうど松葉杖《づえ》をついていらしてね、それで、あらあら、まあまあ大変ですね、なんて言いながらね、ついつい図々《ずうずう》しく上がり込んじゃって、ちょっとだけ、お世話をしたんですよね。だって、お一人暮らしだっていうから。それが、最初」

三方幸三郎の名前くらいは知っていたが、宇多子は、最初のうちは、目の前の弱っている老人が、かつての映画スターだなどとは、まるで気がつかなかったと言った。三方の住まいは、既に貴子たちが本人から聞き出した通りに高輪にあって、そう大きくはなかったが、なかなか趣《おもむき》のある古い一軒家だそうだ。彼はそこに四十年以上暮らしていて、近くにはアパートも一軒、持っていると語ったという。その段階で、宇多子は幸三郎を良いカモだとしか思わなかった。

「それで、二度目だったかな？　『お具合は如何《いかが》ですか』なんて、ミカンかなんか提げていってね、お宅の応接間に通されてみて初めて、あらまあって。古い写真とか、たくさん飾ってありましたしね、あと、何だかよく分かんない、楯《たて》とかトロフィーとか。それで、まあ、あのスターの三方幸三郎さん！　なんて、もう、すっかり嬉《うれ》しくなっちゃって」

その前年、三方は三度目の離婚を経験して、すでに一人暮らしだったという。たまたま庭先で転んで、足の骨を折っていたこともあって、本人も気弱になっていたのかも知れない。日常の生活にも色々と支障を来《きた》していたらしく、彼は、前触れもなく現れた宇多子を歓迎したようだ。そこで、宇多子としては、かつての映画スターと知り合えたという嬉しさと、それなりに余裕のありそうな暮らしぶりから、さらに熱心に、三方の家に通うようになった。

「ちょっとしたお茶菓子でも持っていって、何時間かね、お喋りをしたり、まあ、簡単な買い物くらいしてあげたりね。何しろ、誇り高い人なもんで、近所のスーパーとか行きたがらないんですよね。わざわざ遠くの、輸入品ばっかり売ってるようなところまで、タクシーで行くとか言っちゃって」

最初のうちは、昔の映画界の話などを聞いて、宇多子も大喜びだったらしい。その頃のことは、文子も知美も覚えていると言った。だが、文子たちの世代では、もはや三方幸三郎の名前など知らなかったから、母の話などに大した興味も持たなかったと口を揃《そろ》えた。

「とにかく、ほら、最初のうちは足が不自由でしたから、まあ元気になるまでは、なんてね。そういう気分よね。だけど、いつまでたってもマンションを買うつもりはないみたいだし、私だって、そうそう油売ってるわけにいかないし——何ていうか、さ。そのうち、なぁんとなく、ちょっと嫌な感じになってきたもんだからね」

「嫌な感じ？」

尋ねたのは沢木だった。宇多子は、このガキは何ものだと言わんばかりに、じろりと沢木を見てから、いかにも言いにくそうにため息をつき、やがて仕方なさそうに「ほら」とわずかに身体を傾けた。

「所詮《しょせん》はいくつになっても、男と女ってとこ、あるじゃないですか。私はね、もう、そういうの、いいんです。はっきり言って。そりゃあ、女が一人で生きてきたわけですからね、色々と誘惑もあったし、世話をしたいって言ってくれる人だって、一人や二人——」

「そんな話、聞いてない」

文子が衝撃を受けたように身を乗り出した。その隣では、知美が母親の煙草に手を伸ばして、黙ったまま火を点《つ》ける。

「だって、あんた、こう見えたってお母さん、意外にモテたんだから。だけどね、もう、そういうのは、今はもう、たくさんなの。でも、あちらさんはね、そうでもなかったみたいで。もう、どんどん情熱的になっちゃって。何しろスターさんでしょ。何かの台詞《せりふ》みたいなことを、もうぺらぺら仰《おつしや》るんですよ。いくら、このあたしでも、つい、ふらふらっとしたくなるようなこともね。だけど、考えてみりゃあ、何せ三回も離婚してるような男だからねえ。だから、ある時私、一緒に風呂《ふろ》に入ろうとかって言われて、逃げたんですよね」

「嫌だ、お母さんてば」

文子が心底不快そうな顔をした。だが妹の知美は煙草の煙を吐き出すのと同時に、げらげらと声を上げて笑った。

「スターと風呂だよ。お母ちゃん、入ってくりゃ良かったのに」

「馬鹿《ばか》言うんじゃないのっ」

沢木は、まるで信じられないといった表情で、ぽかんとしたまま三人の母娘《おやこ》を眺めている。こんな純粋培養の大人子どもに聞かせたい話ではない気がして、貴子は何となく自分の方が居心地の悪い気分になった。

「本当、こっちとしてはね、そりゃあ、商売の点では下心はあったかも知れないけど、他の方は全然、まるっきりだったんです」

そこまで話してから、宇多子は初めて、実は三方からは、手紙も何度も受け取っていたのだと打ち明けた。どこで入手した物か、封筒は常にどこかの会社の名前などが刷り込まれているものが使用されていたから、家族の誰にも気づかれることはなかったという。

「最初は、もう、歯が浮くっていうか、ぞっとするくらいに情熱的なラブレターでしたよね。『君が欲しい』とか『忘れられない』とかね。それが、だんだん恨み節になってきて、脅迫状みたいになって。だからあたし、一回あの人の家に行って、もう二度と、そういう真似《まね》してくれるなって、怒鳴り込んだことも、あったんです」

無言電話がかかってくるようになったのは、その直後からだという。そして、この三年あまりの間に、徐々にエスカレートしていったということだ。

「あんな、偉そうなこと言ってた爺《じい》さんが」

それらの事情を聞いて宇多子の家を出た後、沢木は信じられないといった表情で呟《つぶや》いた。それは、貴子もまったく同感だった。最近では珍しいほどにかくしゃくとした、誇り高い老人だと思った。あれだけ日本の将来を憂《うれ》うることを言い、最近の青少年について怒って見せておきながら、その実、自分がストーカーだったとは、あまりに締まらない話ではないかという気がした。

そうして今日で四日間、最初に情報を提供してくれた老婆《ろうば》の協力を得て、彼女の家の軒先に潜んだまま、ただぼんやりと空を見上げていた貴子に、沢木の「あれ」という囁《ささや》きが聞こえた。かつ、かつ、と微《かす》かな音を立てながら、ステッキを軽く振って一人の男が歩いてきた。

「本人だ」

「ですね」

「いつ、確保するの」

「彼が、何かしたら」

「抵抗したら」

「その時は、その時です」

家と塀との隙間《すきま》から、そっと覗《のぞ》きながら囁き合う間にも、三方幸三郎は、まるで本当に散歩でもしているような、身軽な歩調で路地を進んでくる。大した事件ではないと思いつつ、貴子はやはり緊張が高まり、胸が震えるような感覚を味わった。

今日は、三方老人はハンティング帽を被《かぶ》り、肘《ひじ》あてのついたツイードのジャケットと濃いグリーンの渋いズボンとを組み合わせている。からし色のセーターもすっきりと見えた。俳優だったことは知らなくても、つい一目置きたくなるような、ある種の風格のようなものを備えていると思う。その老人が、ゆっくりと貴子たちの前を通過して、大笹宇多子の家に近づいていく。今日は文子も午前中から出かけていて、宇多子の家には誰もいない。昨日までの三日間は、文子が家にいた。そういう時には現れなかったことを考えると、毎日のようにかかってくるという無言電話の主は、やはり三方なのかも知れなかった。

今、ここで声をかけてしまいたい衝動が働いた。何もさせたくない、何より、あの誇り高い老人に恥をかかせたくなかった。だが、ついそんな気持ちになる自分に戸惑いかけたとき、隣の沢木の方が動こうとした。貴子は慌《あわ》てて若い警部補の腕を摑《つか》んだ。沢木は驚いたように、こちらを見た。

「刑事は情に流されたら、駄目なんです」

貴子は低い声で呟いた。その時、がちゃ、と音がした。急いで三方の方に視線を戻す。老人は、まるで当たり前というように、宇多子の家の門を開き、家の敷地内に足を踏み入れようとしていた。貴子も沢木を促して、隠れていた家の隙間から、そっと外に出た。三方は、ポケットから何かを取り出して、宇多子の家の郵便受けに、それを入れる。さらに、家の脇《わき》に回り込んでいったところで、貴子たちは足早に、宇多子の家に近づいた。

「そんなところで、何してるんです」

貴子が声をかけたとき、三方老人は、軒先に吊《つる》されていた小物掛けに下がっている洗濯物に、ステッキの柄を引っかけて、洗濯物を落としているところだった。既に足下には何枚かの衣類が落ちている。

「三方さん、やめた方がいいです、それ以上のことは」

貴子がさらに声をかけると、老人は一瞬、ぎょっとした顔になり、素早く周囲を見回した。だが、逃げる場所など、あるはずがないのだ。人一人、通れるかどうかの、実に狭い家の隙間だった。貴子は、自分の背後に控えている格好の警部補に「署に連絡を」と囁いた。気配が動いて、靴音が遠ざかる。どうして、仲間を一人で置いていこうとするのだ。べつに遠くまで行かなくても、そこで連絡を入れてくれれば良いではないかと思うと、腹が立った。

「この前も、このお宅に用があって、いらしてたんですね」

あんな頼りない男でも、誰もいないよりはましだった。急に背中が寒くなったような気分で、貴子は老人と向き合った。

「君は――あの時の」

「お散歩をされているっていう言葉、信じました。まさか、こういうことをなさってるって、思いもしませんでした」

「僕――僕は何も」

「何もなさって、ないですか？　でも、こうして他人の家の敷地内に入っています。洗濯物を外しましたね。さっき、郵便受けに入れたのは、何ですか」

一歩、近づくと、老人の足がじり、と後退した。嫌な感じだ。剣道の練習を思い出す。とにかくステッキを手放させなければならなかった。だが、下手に手を差し出して、そこをぴしゃりとやられてはたまらない。

「そのステッキ、離していただけないですか。こちらに放り投げていただきたいんですが」

「どうして」

「少し、署でお話をうかがわせてください」

「それは構わんがね。だが、これは離さない」

「困ります。そんなものなくても、普通にお歩きになれるでしょう？」

　老人は、彫りの深い、ある意味では猛々《たけだけ》しい顔立ちをしていた。太い眉《まゆ》を寄せ、彼は唇を噛《か》んで身動きをしない。どうせ時間の問題だった。もうすぐ沢木からの連絡を受けて、応援が来るだろう。だがそれまでに、出来ることなら三方の方から、協力的に動いて欲しい。

「ステッキをこちらに」

「断る」

　本当にまるで、時代劇の台詞のようだと思った。貴子は深々とため息をついて、宙を見据えている老人を眺めた。

「どうしちゃったんですか、三方さん。はっきり言って、相手はただの、下町のおばちゃんじゃないですか。とりたてて若くも美人でもない、普通のおばちゃんです。そんな人に、どうして、そこまで執着なさらなきゃならなかったんです。こんなことをなされば、スターの名前が傷つくじゃないですか。あなたのことを覚えている人は、この近所にだって、まだたくさんいるのに」

その時、貴子の目には、老人の顔が、ぱりん、と割れたように見えた。数日前にも、そして今日も、苛立《いらだ》った表情くらいは浮かべるものの、その他はまるで動かなかった老人の顔に、急に無数の皺《しわ》が寄り、彼は突然、頼りなく無力な高齢者の姿を目の前にさらした。

「——人に夢を売って、希望を見せて——それで、僕には何が残ったんだ？」

まるで背骨がすうっと抜けたかのように、老人は突然、身を縮めた。握りしめていたはずのステッキの柄が、乾いた掌《てのひら》から滑り落ち、からん、と堅い音を立てた。

「あんな女に家族がいて、温かく迎える家があって、どうして——」

貴子が腰を屈《かが》めてステッキを拾い上げる間、三方幸三郎は、節くれ立った大きな両手で、自分の顔を被《おお》っていた。やがて、その掌の間から、引き絞るような嗚咽《おえつ》が洩《も》れてきた。絶対に聞きたくない、聞いてはいけないと思わせるような、もの悲しい、寒々とした声だった。

7

「だからって、どうしてあのお坊っちゃまが一緒なわけ」

その晩、居酒屋のカウンターで、頬杖《ほおづえ》をついた奈苗に横目で睨《にら》まれて、貴子は首をすくめた。貴子だって分からない。ただ、三方老人の身柄を確保した直後から、沢木の態度が豹変《ひょうへん》した。そしてついに、「ファンになりました」などと言い出したのだ。さらに、今日はようやく奈苗と一杯やれると思ったのに、いつも定時で帰るはずの彼は、どうしてもついてくるといって聞かなかった。自分が奢《おご》るから、是非とも一緒に加えて欲しいとまで言われて、とうとう断りきれなかった。

「いつの間にか、すぐ後ろに戻ってきてたんですよね。それで、私とお爺《じい》さんとのやりとりを聞いてたらしいんですけど」

「で、手なずけられちゃったわけだ。バツイチのお姉さまに」

乾杯の後で、改めて自己紹介を兼ねて、貴子は自分に離婚歴があることを話した。だが沢木は、何を考えているのか「気にならないな」と答えた。

「いいんじゃない？　一回り年下。東大出。キャリア。もう、条件ばっちりだと思うけどなあ」

「馬鹿《ばか》なこと、言わないでくださいよ、あんなガキ」

「何、言ってんのよ。年上がいいなんて言ってたら、もうすぐに今日のお爺さんみたいになっちゃうようなのしか、残ってやしないんだからね。上はダメ。これからは年下を狙《ねら》わなきゃ」

沢木が手洗いに立っている間の素早い会話だった。奈苗は、「やっと女同士で飲めると思ったのに」と、言葉では不満そうなことを言いながら、その実は大して気にも留めていない様子で、さっきから沢木をおだてては、どんどんと酎《ちゅう》ハイを飲ませている。お陰で、沢木はやたら頻繁に手洗いに立っていた。貴子が見たところ、さほど酒が強そうにも見えない警部補が沈没するのは、もう時間の問題だ。

「でも、いい経験になったと思うわよ。こんな研修の短い間に、たとえ小さいヤマだって、張り込みから逮捕まで経験出来たんだから。彼にとっては、宝でしょう」

「それを、将来に活《い》かしてくれればいいですよねえ」

「おまけに、運命の人とまで出会っちゃった、なんて」

「だから、それはありませんってば」

二人で軽く睨み合う真似《まね》をしているところに、沢木が戻ってきた。顔は茹《ゆ》で蛸《だこ》なみに真っ赤だし、足下もおぼつかないようだ。だが、やたらと機嫌が良い様子で、遠くからでも、もうにこにこと笑っている。

「僕ね、もう一杯、飲もうかな」

彼は、貴子と奈苗の間に割って入ると、呂律《ろれつ》の回らない声を上げる。奈苗がすかさず「青リンゴサワー」を注文させた。貴子は飲んだことがないが、ひどく甘そうで、その上、悪酔いもしそうな響きのサワーが運ばれてくると、沢木はいかにも旨《うま》そうにそれを飲み、ひとしきりはしゃいだ後で、案の定、ぴったり十五分後には、カウンターに突っ伏して眠り始めてしまった。ようやく、貴子は奈苗と乾杯をしなおし、ゆっくりと話をすることが出来た。

「それで、どんな感じだって、お爺さんは」

「まあ、反省もしてることだし、年齢が年齢だしね、書類送検で済むとは思うけど」

「お爺さんにとっては、人生が長すぎたってことなのかしらねえ。スターじゃなくなってからが」

「だからって、何も、そこまでしなくても」

三方幸三郎は、激しく嗚咽《おえつ》していた。迎えのパトカーに乗せられて、署に連れてこられた後も、落ち着いて話をするまでに、ずい分、時間がかかっていた。そして今夜は、冷たい留置場で夜を明かしていることだろう。まるで棚からぼた餅《もち》のような今回の手柄は、何となく盛り上がりに欠けて、薄ら寒い感触のものだった。

「べつに、ここの管内だけじゃないとは思うけど、これからは、こういう問題が増えてくると思うわね。何しろ、世界一のスピードで高齢化が進んでる国なんだから」

奈苗がふう、とため息をつく。「世界一」と呟《つぶや》いて、貴子も嫌な気分になった。いつか自分も年を取る。その時、傍に誰かいるか、または一人のままだろうか。

「そういえば、私のことは言いましたけど、奈苗さんて、どういう暮らしをなさってるんですか？」

「私？　私はもう、波瀾《はらん》万丈よ。もう、ドラマティックなんてもんじゃない」

にやりと笑われて、もう少し突っ込んだ話を聞きたいと思ったときに、貴子の視界から、突っ伏していた沢木が消えた。ばたん、と大きな音がしたかと思ったら、彼は貴子と奈苗に挟まれた格好で、椅子《いす》から転がり落ちてもまだ眠り続けていた。

木綿の部屋

まったく。

I

ハンドルを握りながら、音道貴子は荒々しく息を吐き出した。夜更《よふ》けと呼ぶにはまだ早いが、道路はそろそろ渋滞も解消され、お陰で前方の車との車間距離もたっぷりで、目の前には、さっきまで降り続いていた雨の名残の、黒く光っている車道が延びている。前方を行く車のテールランプや、時折すれ違う対向車のヘッドライトを映し出す様は、まるで黒い川のようだ。

車内には小さな音量で、数日前に買ったばかりのジャズのCDを流していた。以前はまるで興味がなかったのだが、最近は好きになった。ことに夜は、気持ちが落ち着く。ジャズの流れる空間だけが、周囲とは異なる時間を持ち始めるような気がする。深く、静かに心を解放することが出来ると思う。だからこそ、こうして車にも積んでいるのだが、今夜に限っては、どうも駄目なようだ。

何だって、こういうことになるの。

ついつい小さな舌打ちが出た。ふう、と、かなり大げさにため息もつく。だが、スピーカーから流れる音楽よりも、さらに大きな音で、そんな哀れな嘆きをかき消してしまうものがあった。貴子は、ルームミラーに視線を走らせ、その騒音の元を眺めた。滝沢は、シートに預けた身体《からだ》を斜めに傾け、ほとんど崩れ落ちそうな姿勢のままで、ぽかんと口を開けて眠っている。そして、信じられないほどの大きないびきを、この狭い空間にまき散らしていた。

たまたま、知り合いの刑事に呼び出されたのが運の尽きだった。これもたまたま、今日は車で出勤していたから、酒にはつきあえないが、顔だけでも出そうと思って訪ねた店は、貴子の同業者たちのたまり場のようになっていて、その中に、やはりたまたま、滝沢がいたのだ。同じ刑事とはいっても、現在は特殊班に籍を置いているはずの滝沢と貴子とでは、まず顔を合わせるなどということはない。それが、こともあろうに居酒屋で鉢合わせしようとは。

「よう、お元気そうじゃねえか」

滝沢は既に相当酔っている様子で、顔はムラに赤くなり、目もどろりと充血していた。少し見ない間に、また少し髪が薄くなったらしく、その、まばらな髪を透かして見える頭皮さえ、赤黒く染まっているくらいだった。貴子は曖昧《あいまい》に笑いながら、「滝沢さんも」などと答えたものだ。何といっても、一度はコンビを組んだ間柄だ。癖は強いが、そう悪い人でないことは、よく分かっている。多少の恩義も感じている。尊敬すべき点さえあると思う。だが、出来ればあまり会いたくないのだ。近づきたくない。これればかりは仕方がなかった。生理的に、苦手なのだ。向こうが、どうやら生理的に女の刑事を嫌っているのと同じくらいに。

とにかく礼を失しないように、きちんと挨拶《あいさつ》だけは済ませて、それから違う席で飲んでいる知人の方へ行こうとした、その矢先、滝沢の携帯電話が鳴った。和んでいた周囲の空気が、それだけで一瞬、静止する。ただでさえ、刑事は因果な商売だが、中でも特殊班は、常に緊張を強いられる仕事だ。現在の貴子のような所轄《しょかつ》署勤務なら、とりあえず勤務時間は決まっているが、彼らはいつ、どんな時に呼び出しがかかるか分からない。事件の特殊性と緊急性、さらに捜査に携わるものとしては専門的な知識や技術が必要であることからこそ、特殊班と呼ばれているのだ。

企業恐喝、誘拐、監禁、爆破、ハイジャック。彼らが扱う事件は、いつだって新聞のトップを飾るような大事件になりかねないものばかりで、しかも、捜査は極秘中の極秘裏に、細心の注意を払って進めなければならないものと相場が決まっている。外見からすると、「秘《ひそ》やか」などという表現とは、もっとも縁遠い印象の滝沢が、よくもそんなに神経を使う部署にいられるものだと、貴子は半ば不思議な気分になるのだが、その滝沢が、弛緩《しかん》しきっていた表情を幾分引き締めながら、ふらつく足取りで席を立ち、携帯電話を片手に店を出ていった。貴子は彼の後ろ姿を見送ってから、待ち構えていた知人の席に向かった。

「何だ、誰か、知り合いがいたかい」

「ほら、前に話したことのある」

知人というのは、やはり以前、短い間だが同じ職場にいた同い年の刑事だった。貴子は、彼の妻ともつきあいがある。ビールを飲んでいる相手にウーロン茶で乾杯をして、簡単に滝沢のことを説明していたら、それから間もなくして、背後が騒がしくなった。振り返ると、滝沢一人が表情を強張《こわば》らせてコートを羽織ろうとしていた。それを周囲の連中が引き留めている。

「落ち着けって、滝さん」

「いくら何でも、まずいよ。そんなに飲んでて」

「なあ、そこまで一緒に行ってやる、タクシー、拾ってやるからさ」

店内は妙にざわつき、男たちは言葉でも動作でも、それぞれに興奮した表情の滝沢を押しとどめようとしていた。

「何か、あったんですか。召集ですか」

貴子の知人が、誰にともなく声をかけた。大して知らない相手でも、同業者には変わりがない。いざというときには、気安く声くらいかけるものだ。

「いや、仕事じゃなくて急用が出来たらしいんだけどな、これから運転して行くって言うからさ」

馬鹿《ばか》な。泥酔《でいすい》の一歩手前まで飲んでいて、どういうつもりなのだと貴子が考えている間に、隣から「だったら」という声がした。

「彼女、車で来てますから、送らせたらどうです」

一瞬、どういう顔をすれば良いか分からなかった。頭の中で「この裏切り者」という声がした。だが知人は、当然といった表情で貴子に同意を求めてきた。

「相棒が困ってるっていうのに、放っておけるはずがないよな。ああ、俺のことなら気にしなくていいから」

いかにも理解のありそうな顔で言われて、貴子に何を言い返せるはずもなかった。店内の一角を占めていた同業者の視線が一斉に自分に集中しているのが感じられ、その中央に、試すような目をした滝沢の顔もあった。

「車、取ってきますので」

それだけ言って店の出口に向かう間、背後からは「よかったなあ、滝さん」などという声が聞こえていた。仕方がない。ただでさえ世間の目が厳しいこの時期に、同業者に飲酒運転などさせるわけにはいかなかった。第一、そんなことで職を失うには、滝沢という人は、貴子の目から見ても惜しい存在であることは間違いがなかった。

それにしても、よく寝ている。

いつでもどこでも、必要とあれば五分間でも熟睡出来るタイプでなければ、デカは容易には務まらない。それは分かっているし、呆《あき》れるくらいの大いびきをかく男など、別段、珍しくも何ともないが、それでも貴子は不思議な気持ちになった。

貴子の車に乗り込んでくるなり、滝沢は礼も言わずに、行き先として川崎市の地名を告げた。最近になってようやく搭載したカーナビにその地名をインプットしながら、貴子はその土地に何があるのだと尋ねた。

「娘が住んでる。長女が」

その時点では、滝沢はまだ目を大きく見開いて、ギラギラとした表情をしていた。

「だから、言わんこっちゃないんだ。こんな時に来て、泣きつきやがって」

滝沢は苦虫を嚙《か》みつぶしたような表情で、吐き捨てるように呟《つぶや》いた。アクセルを踏み込みながら、貴子はちらちらとミラー越しに滝沢を見ていた。

「——娘さんに、何か、あったんですか」

うめくような声が「ああ」と応《こた》えたきりだった。我が子に何かあったというのなら、慌《あわ》てないはずがない。どれほど酔っていても自分で運転すると言い出す気持ちも分からなくはないと思ったのに、ところが、それから間もなく、滝沢は大いびきをかき始めたのだ。大した神経だった。

滝沢が告げたのは東京都と神奈川県との境が複雑に入り交じっている地域だった。川崎市に入ったかと思えば東京の稲《いなぎ》城市で、また川崎かと思ったら、今度は東京の町田市に戻っているという具合だ。この辺りは丘陵地にもなっていて緑も豊富に残っており、ひとたび幹線道路を外れると、曲がりくねった坂道が多い。車の数は極端に少なくなり、闇《やみ》はますます深くなった。

それにしても滝沢の娘というのは、何歳くらいになるのだろうか。聞いたことがあるような気もするが、覚えていなかった。とりあえず、親元から離れて暮らしているのだから、社会人か、少なくとも大学生くらいにはなっているのだろうと考えながら、貴子はハンドルを操り続けた。緩やかなテンポのジャズは心地良く広がり、慌ただしかった一日の疲れを押し流しつつあった。止《や》んだはずの雨が、またぽつぽつとフロントグラスに当たり始める。ワイパーを動かすほどのことも、少なくなってきた街の灯を滲《にじ》ませるところまでもいかない小さな雨粒が、少しずつ視界に広がった。こういうとき、車は本当にありがたいと思う。オートバイに乗っていて雨に降られるほど、辛《つら》くて惨《みじ》めなものはないからだ。屋根があり、壁があり、椅子《いす》に座ったままの姿勢で体温を奪われる心配もない、車という乗り物は、本当に大したものだ。

だんだんオートバイに乗るのも面倒になるかも知れない。気合いを入れるのが億劫《おっくう》になりそうな気がする。老《ふ》け込むには早過ぎるし、体力の衰えについては、多少の自覚はあったとしても、痛感するところまではいっていない。だが、ことに寒くなってきてからは、休日に外出するというと、オートバイよりも車を選ぶことの方が増えてきた。車の方が何かと便利だから仕方がないのだ。荷物も積めるし、普段着でオーケーだ。天気の心配だってせずにすむ。ああ、言い訳がましい。ひょっとすると、愛車を持て余し始めているのだろうか。次の車検の時には、思い切ってもう少し小さなタイプに変えようか。長く乗りたいのなら、それも賢い選択だ。

「どこだ、ここ」

つい、自分一人の世界に浸りかかっていたら、背後からかすれた濁声《だみごえ》がした。貴子は我に返ってルームミラーを覗《のぞ》き込んだ。まだ崩れ落ちそうな姿勢のまま、それでも滝沢は目を覚ましているらしい。貴子はカーナビの画面を覗き込み、辺りを見回しながら地名を告げた。すると滝沢は、この先の道順を指示し始めた。はいはい。きちんと送り届けさせていただきますよ。

「煙草《たばこ》、いいか」

「すみません、灰皿がないんです」

「灰皿代わりになるもんは」

「——コンビニにでも、寄りますか」

「ああ、いや、だったらいいや」

珍しく素直だ。貴子は、つい小さく微笑《ほほえ》んだ。眠ったお陰で多少は酔いも醒《さ》めたらしい滝沢が、それなりに遠慮していることが分かる。当たり前だ。私用で使われるような間柄でもないのだから。

「あのな」

しばらく走ると、滝沢がまた声をかけてくる。

「あんた、バツイチだったよな」

「——それが何か」

「いや——立ち入ったことを聞くようで悪いんだが」

悪いと思うなら、そういう話を持ち出すなと言いたかった。

「その――何年くらいで、駄目になったんだ」

「短かったです」

「で、その後は未《いま》だに独り者、と」

「それが、何か」

「いや――その点は、俺も人のことは言えねえがな」

それならお互いに独り者同士、うまくやろうなどと言われたらどうしようかと、ふと思った。こういう場面で、貴子を女として意識しているなどと言い出されたら、どう対処すれば良いのだろうかと、にわかに不安になりかけたとき、「離婚をさ」という声が聞こえた。

「ええと――自分で、決めたのかな」

「もちろんです」

「親御さんは、どうだった」

「――もちろん、いい顔はしませんでしたね。特に母は」

「親父《おやじ》さんは」

「まあ、自分で決めたことなんだからという感じだったと思います。言いたいことはあったんでしょうが、直接には、何も言われませんでした」

そうか、という返事に続いて、ひどく深いため息が聞こえてきた。

「まあ、そんなものだよなあ」

ごそごそ、と衣擦《きぬず》れの音がして、滝沢が姿勢を動かしているらしいのが分かった。そして、またため息。「まいったなあ」という呟きがジャズに溶けていく。それが滝沢の口癖であることを、久しぶりに思い出した。

「男親なんて、そんなもんだ」

「――何か、あったんですか」

出来るだけさり気なく言ってみた。ああ、という返答の後は、しばらくの間、沈黙が流れた。滝沢の指示で角を曲がると、道は、さらに深い闇に続いているように思えた。曲がりくねった坂道を進み、切り通しを抜ける。すると、ようやく整然と並ぶ街灯が見えてきて、道の左右にはこぢんまりとした家々が立ち並び始めた。新しい町に入ったらしい。

「あのさ」

道順の説明の途中で、滝沢がまた話しかけてくる。

「今日、時間、大丈夫か」

何を今さら。大丈夫ではないと言ったらどうしてくれる。

「この後、何か用事があったか」

「大丈夫です」

「だったら——頼まれついでに、もう一つ、頼まれてくれねえか」

「——何を、ですか」

「俺には——俺は、どうも苦手でな」

「——あの、何が」

「娘と話するっていうか、話を聞いてやるのがな」

「——はあ？」

背後から大きなため息と、ちっという舌打ちが聞こえた。再びがさがさという衣擦れの音。

「どうも感情的になっちまう。俺ん中じゃあ、とっくに結論が出てることなんだが。いや、だから、どうもな」

そして滝沢は、これから向かう先にいる長女には、もうずい分以前から離婚を勧めているのだと言った。もともと結婚にも反対だったのだが、案の定、苦労することになった。何しろ、亭主が気に入らないのだと、滝沢は吐き捨てるように言った。

「娘さんて、もう結婚なさってるんですか」

「なさってるんだ。これがな。親の言うことも聞かねえで、とっとと好き勝手なことをしやがって」

「それで、苦労なさってるんですか」

「なあ、親不孝な話だろう」

この男が自分の私生活について語るところを、貴子は初めて見たと思った。刑事の中には、聞きもしないのに女房子どもの話ばかりしたがる男も珍しくはないのだが、滝沢は妻に逃げられた経験があるせいか、貴子とコンビを組んでいる間も、そういうことはまるで口にしなかった。

「あの」

ミラー越しに見える滝沢は、やはり煙草が吸いたくてたまらないらしい。火を点《つ》けていないままの煙草だけを口にくわえて、顎《あご》を突き出すようにしている。

「じゃあ、今日もそのことで行かれるんですか」

つまり夫婦喧嘩《げんか》の挙げ句に、娘が電話を寄越したのだろうかと思った。だが滝沢は、「まさか」と不愉快そうな声で応えた。

「そんな程度じゃあ、俺だってわざわざ飲んでる最中に駆けつけたりなんか、しやしねえよ。所詮《しょせん》、夫婦のことは夫婦にしか分からねえってことくらいは、百も承知してるしな」

ことは、もう少し厄介だ。実は娘の亭主が借金を作って、その借金取りが今夜中に、何が何でも金を返せと脅してきたのだと、滝沢は言った。今晩中に金が作れなかったら、どういうことになるか分からないぞと脅されて、滝沢の娘はついにたまりかねて父親に助けを求めたらしい。

「何せ、意地っ張りでな。誰に似たんだか知らねえが、あんな風に俺に電話を寄越すなんて、これまで一度だってなかったんだ。前に一度、顔に痣《あざ》作って帰ってきたことがあったらしいが、俺が仕事で留守の間に、また帰っていったしな」

「なるほど」

「あいつが俺の携帯の番号を知ってるとさえ、俺は思わなかったくらいだ」

「そういう、ことだったんですか」

「それ以上の詳しいことは、俺も酔っ払ってたしな、ちゃんと聞いてねえんだが――まあ、みっともねえ話だ。ああ、次かな。いや、その次だ。あの信号を、左」

言われるままにウィンカーを出しながら、滝沢にもそういう苦労があるのだなと思った。少なくとも貴子の場合は、深夜に父親に助けを求めるような、そんなことはなかった。別れた夫も、女で面倒は起こしたが、借金取りに追い回されるようなことはなかった。そう考えると、当時は痛烈に感じていた挫折感《ざせつかん》も、大したことではなかったのかも知れないという気になる。親不孝だとも思ったが、少なくとも滝沢の娘ほどではない。それにしても、こんな男にも、実はそういう気苦労があったのかと、少しばかり同情的な気分になってくる。

滝沢が車を止めるように指示したのは、ひっそりとした住宅地の中にある、二階建ての鉄筋アパートのような建物の前だった。周囲には白い塀が巡らされており、門扉《もんぴ》の脇《わき》には、プレートがはめ込まれている。頼りない街灯の明かりでそのプレートを眺めると、「関東中央電鉄」という文字が読みとれた。どうやら、その電鉄会社の社宅らしい。

「なあ、恩に着る。悪いが、少しでいいから、寄ってってってくれねえか」

車を降りるときになって、滝沢は改めてそう言った。

「でも、ご家族の間でのお話もあるでしょうから」

「このまんま、俺一人で行ったら、有無を言わさず首根っこひっつかまえて、家まで引きずって帰るだけだと思うんだ。だが、それじゃあ何の解決にもならんことは、俺だって分かってってな」

貴子は身体《からだ》を捻《ひね》って後ろのシートから身を乗り出している滝沢を見、つい小さく笑ってしまった。滝沢が本当に娘の首根っこを摑《つか》んで引きずる様が、目に浮かぶようだと思った。

「何だい」

「いえ、そんなものかと思って。滝沢さん、仕事では絶対に冷静なはずなのに」

「俺だって、そのつもりなんだが、娘の顔を見ちまったらなあ、ちょっと自信がねえんだ。何せ、夏以来、会ってねえし」

薄闇の中で、滝沢の目だけが光って見える。

「恥を忍んで言ってる。頼むわ」

先輩の刑事にここまで言わせておいて、「嫌です」とは言えなかった。それに、滝沢を哀れにも思う一方で、このアクの強い、とても一筋縄ではいかない刑事を、そこまで手こずらせる娘という人を、ひと目で良いから見てみたい気持ちも働いた。

「じゃあ、本当に少しだけ、お邪魔します」

サイドブレーキを引き、キーを抜く。外に出ると、しん、と染《し》み渡るような冷気が、静寂と共に全身を包んだ。都心よりも何度か低いようだ。遠くから犬の哭《な》き声がする。滝沢は、待ちかねていたかのようにくわえていた煙草に火をつけ、白い息と一緒に煙も吐き出している。しわくちゃのコートの襟を立てて歩く刑事に従いながら、貴子は、この男とコンビを組んでいたときも、やはり寒い季節だったことを思い出していた。

2

滝沢の娘の住まいは、社宅の二階の端だった。鉄製のドアには小さなクリスマス・リースと共に、ホビーショップなどに売っている手作り風の木製プレートが架けられており、すべてひらがなで「たに　えつお・なおこ・たいよう」という文字が並んでいた。ドアの脇には三輪車。それに、葉ボタンとポインセチアの鉢が並んでいる。味気ない外観の社宅を、少しでも温かく見せたいという工夫が感じられた。

「父が、いつもお世話になりまして」

滝沢の娘は「直子です」と自己紹介をした後で、深々と頭を下げた。最初はドアチェーンをかけたままで玄関を細く開け、怯《おび》えたような瞳《ひとみ》だけを覗《のぞ》かせていた女性は、華奢《きゃしゃ》で小柄な、あまり滝沢とは似ていない雰囲気の人だった。年の頃は二十代の後半くらいだろうか。本当はもう少し若いのかも知れない。憔悴《しょうすい》した様子だし、髪も一つにまとめただけ、化粧気のない青白い肌も艶《つや》がないから、老《ふ》けて見えている可能性があった。

「大洋は」

居間に通されると、滝沢はすぐに辺りを見回した。とりあえず、娘の首根っこを摑《つか》む心配は、なくなったようだ。そして、直子に案内されて襖《ふすま》の奥の部屋に消える。貴子は、サーモンピンクのカーペットが敷かれ、中央にはコタツ、壁際《かべぎわ》にはタンスやカラーボックス、テレビなどが、ぎっしりと並んでいる部屋に残された。六畳はあると思うが、何だか狭く感じる。

考えてみれば、コタツに足を入れるのは久しぶりだった。実家では今も愛用しているけれど、貴子のマンションにはコタツはない。もう何年も前から、エアコンと、ホットカーペットだけでしのいでいる。何しろ、コタツがあると部屋が狭くなる。掃除が面倒になる。自分自身、尻《しり》が重くなって動きが鈍くなるような気がする。だから処分してしまった。けれど、こうして改めて足を入れると、良いものだ。

足と共に手の先もコタツの中に入れて、貴子は改めて室内を見回した。カーテンも座布団《ざぶとん》カバーも、すべて木綿のプリント柄。タンスの上にはディズニー・キャラクターの小さな縫いぐるみがずらりと並び、一方、カラーボックスの上には、クリスマスらしいデコレーションがされていた。小さなツリーにクリスマスのブーツ。雪だるまの置物など、ちょっとしたショーケースのような飾りつけだ。そしてクロス貼《ば》りの壁にも、天使やトナカイ、雪の結晶などをかたどったオーナメントが貼られている。何と賑《にぎ》やかな色彩が溢《あふ》れている、可愛《かわい》らしい部屋だろう。まるで、丸ごと子ども部屋のようだ。

やがて、滝沢が幾分表情を和らげて、奥の部屋から戻ってきた。そして、貴子の視線に気づいて「孫がな」と半ば照れ臭そうに口元を歪《ゆが》める。

「お孫さん？」

「滅多に顔を見ないから、会うたびにどんどん、でかくなりやがる。よかったら、あんたも後で、ちょっと見てやってよ」

つまり滝沢は、もうお祖父《じい》さんということらしい。まだ五十そこそこだろうに、喜ぶべきか、気の毒というべきか。貴子は曖昧《あいまい》に頷《うなず》きながら、また滝沢の新しい一面を見たと思った。

うめくような声をあげながら、ようやく腰を屈《かが》めてコタツに足を入れ、滝沢は「で」と立ち尽くしている娘を見上げた。

「その連中はいつ来るって言ったんだ」

「――だから、日付が変わったら」

父親の脱いだコートと上着を腕にかけたまま、直子は貴子の存在も気にならない様子で、ぼそりと応《こた》えた。細面の、凹凸の少ない顔をしている。母親似なのだろうか、ゴマ粒のような形だと、ふと思った。とりあえず、滝沢とは似ていない。

「と、いうことは？　今夜中に来るっていうことか」

「――そう、言ってたの」

「これまでに来たことは」

娘は疲れた様子で頭を振り、長いため息をついてから、滝沢のコートをハンガーにかけた。その後ろ姿に、滝沢は「あのな」と声をかけた。

「とりあえず簡単でいいから、何か食うもの用意しろや。こっちの音道さんは、飯、食ってないんだから」

そんなことは、ひと言も言っていなかった。だが、何も食べていないことは確かだ。

「私、すぐにお暇《いとま》しますので」

「まあ、そう言わないでさ。おい、早く何か」

貴子はちらりと滝沢を見て、「やったな」と腹の中で呟《つぶや》いた。こうやって引き留める作戦だ。癪《しゃく》に障《さわ》る。それにしても、音道さんとは。初めてそんな風に呼ばれた。慌《あわ》てたような表情で、いそいそと台所に行く直子の後ろ姿に、「本当にお構いなく」と声をかけながら、貴子は、滝沢がいかに気を遣っているかを感じた。それに、この可愛らしい部屋に父娘《おやこ》の二人きりになったときの息苦しさは、何となく想像がつく。おそらく不器用な父親なのだろう。

「かえって、申し訳ありません」

滝沢に向かって頭を下げていたら、「いえ、ゆっくりしていらしてください」という声が、台所から返ってきた。また煙草《たばこ》を取り出している滝沢が、「ちっ」と息を洩《も》らして、顔を歪めた。

「どっか、ピントがずれてるんだよな。第一、何がゆっくりだ。遊びに来てるんじゃねえって。なあ」

居心地の悪い、曖昧な笑い方しか出来なかった。貴子は再び、あまり不躾《ぶしつけ》にならない程度に、室内を眺めた。テレビの上の写真。本棚に並べられた電車の模型。そういえば、ここは電鉄会社の社宅だった。

「お嬢さんの、ご主人て」

貴子は、今度はわずかに声をひそめて滝沢を見た。ふう、と煙草の煙を吐き出しながら、滝沢は、直子の夫は電車の運転士をしていると応え、貴子が、へえ、と頷いている間に、「よう」と大きな声を出した。

「それで、今夜はヤツはどうしてるんだ」

「遅番だから」

「ここに、そういう電話があったことは、知ってるのか」

「連絡、してないから」

「野郎が作った借金なんだろうっ」

滝沢の声が徐々に大きくなっていく。貴子は慌てて目配せをした。感情的にならないために、貴子を引き留めたのではなかったか。今、怒鳴ったって仕方がないのだ。

「仕事の前とか勤務中に、面倒なことは聞かせないようにって、言われてるから」

じゃあっと何か炒《いた》めている音が聞こえ、同時に香ばしい香りが広がってきた。ポークジンジャーか。貴子は改めて空腹を感じ始めた。

「なぁにが、仕事前だ。てめえの不始末を女房に押しつけて、偉そうなことが言えた義理かよっ」

「お父さんっ」

貴子が一生懸命に顔をしかめて見せている間に、すぐ背後で声がした。

「大洋が起きるし、ご近所にも聞こえるから。言いたいことは、分かってるから」

片手に菜箸《さいばし》を持ったまま、もう片方の手では、やはりプリント柄の暖簾《のれん》をかき分けて、直子は泣きそうな顔になっている。こういう父娘の間に挟まれるのは、どうも苦手だ。貴子はうつむきがちに視線を逸《そ》らした。ちっ、と舌打ちの音がしたかと思うと、滝沢の声が「枕《まくら》」と言った。

「音道さんに、食事してもらえよ。俺は少し寝るから」

それだけ言うと、もう滝沢はチョッキのボタンを外し、ネクタイを緩めて、その場にごろりと寝転がる。直子は無表情のままで奥の部屋へ行き、枕と毛布を持って戻ってきた。ものの三分とたたない間に、子ども部屋のような可愛らしい空間に、大いびきが響き始めた。まるでガリバーだ。

「昔から、こうなんです。いつも、ご迷惑をおかけしてるんじゃないですか」

やがて貴子の前には思った通りのポークジンジャーと野菜サラダ、漬け物に味噌汁《みそしる》と白飯などが並んだ。貴子は恐縮しながら箸を取った。かつて皇帝ペンギンのようだと思った太鼓腹を、大きく上下させて眠り込んでいる滝沢を眺めながらの夕食。自分は一体、こんな場所で何をしているのだろうか。

「でも、珍しい。私が結婚する前から、職場の方を連れてくるなんてこと、なかったんです。子どもの頃は何回か、あったような気もしますけど」

「今日は偶然、お目にかかっただけなんです。以前、コンビを組ませていただいたことがあるんですが、たまたま、私が車で来ていたもので」

定食屋かインスタント以外の味噌汁は、実に久しぶりだ。一口すすって、思わず「美味《おい》しい」と言うと、直子は嬉《うれ》しそうに微笑《ほほえ》んだ。大きめの豆腐にたっぷり入ったワカメ。この田舎臭さが嬉しくなる。

「母がいませんでしたから、昔から、料理だけはしてきてるんで」

ああ、そうだった。貴子は、以前に一度だけ、滝沢の家に電話をかけたときのことを思い出した。深夜にも拘《かか》わらず、電話をとった少女の声は、やはり礼儀正しく「お世話になります」と言っていた。あれは、直子の声だったのだろうか。

「ところで、さっきの話なんですけど、電話って、どういう人からの電話だったんですか。サラ金?」

差し出がましいとは思ったが、自分だって一応は警察官だ。ここまで来た以上、少しくらい話を聞いても良いはずだった。直子は不安そうな表情のままで、小さく首を傾《かし》げた。

「よく、分からないんです。ただ、うちの主人にお金を貸していると言うだけで」

「電話があったのは、今夜が初めてなんですか」

「何回か――。その度に、主人が帰ってきてから話をすると、自分が何とかするからって言ってたんで」

「いつも同じ相手ですか」

「——多分」

「じゃあ、つまり、ご主人はお金を返していないということなのかしら。返済を引き延ばしてきたっていうこと？」

直子は虚《うつ》ろな視線を宙にさまよわせ、憂鬱《ゆううつ》そうに首を傾げる。箸を動かしながら、貴子は、これでは滝沢が苛立《いらだ》つのも無理もないと思い始めていた。何というか、あまりにも頼りない感じがする。

「それで、いくら借りてるんですって？」

「正確な金額は——。ただ、今夜は何が何でも五十万、用意しておけって」

五十万。安い金ではないが、目の玉が飛び出るほどの金額とも言い切れない。深夜のコンビニでも金は下ろせる時代だ。かき集めようと思えば何とかなる金額のようにも思えた。それが出来ないということは、貯金がないか、頼れる人間が傍にいないか。そんなことを考えている時に、直子は「父には内緒なんですが」と声をひそめた。

「本当のことを言うと、この秋からでも、今度で、もう三回目なんです。さすがに、もう——何ていうか、都合する心当たりもなくなってきて」

「都合って、じゃあ、お金を用意してきてるんですか？　つまり、これまでにも払ってるんですか。全部でいくら」

直子は小さく頷いた後、既に二百万からの金を支払っていると答えた。

「貯金も全部、使っちゃいましたし、私の名前で、消費者金融にも借りてますから——もう本当に、心当たりもないんですよね」

つまり、強請《ゆす》られているということではないか。貴子は驚いて直子を見つめた。困り果てた様子で肩を落とす彼女は、「本当に、困っちゃって」と呟いた。

「一体、何の借金なんです」

「——さあ」

「さあって——ご主人は、どう言ってらっしゃるんですか」

「——ちゃんと、するからって」

「それじゃあ説明になってないし、第一、ちゃんとなってないから、こうなったわけでしょう？」

「——しつこく聞くと、怒りますから。怒ると、ちょっと手がつけられないところもあって」

「手がつけられないって。暴力とか？」

「——普段は優しいし、とてもおとなしい人なんですけど」

背中から力が抜けていくようだ。今頃、まだこんな女性がいるとは思わなかった。しかも、滝沢のような刑事の娘でありながら。自分が呆《あき》れたり怒ったりする立場ではないと思いつつ、貴子は思わず、虚ろな表情の直子をしげしげと眺めてしまった。

「運転士さんだそうですね」

淡いピンク色のタートルネックのセーターを着て、直子はこっくりと小さく頷く。

「どんな、方なんですか？　滝沢さんは、あまりお好きじゃないみたいですけれど」

規則正しくいびきをかき続けている滝沢をちらりと見て、直子はまた頷いた。

「嫌いに決まってます。父とは正反対っていうか——外見も、性格も、まるで違いますから」

そして、彼女はすっと立ち上がり、台所の方から一つの写真立てを持ってきて貴子に見せた。貴子もよく利用する、お馴《な》染《じ》みの私鉄電車の前に立ち、口元に微《かす》かな笑みを浮かべて制服姿の男が写っている。細面の優男風。少し垂れ目気味だろうか。ひょろりとした感じの、甘いムードを持った男に見えた。

「おいくつ、ですか」

「三十七です」

「と、いうことは、直子さんとは」

「ひとまわり違いです」

なるほど。この外見と年齢差だけでも、滝沢ならばまず気に入らないに違いない。貴子の目から見ても、直子の夫という男は、年齢の割りにはどこか腰の落ち着かない印象の、お調子者か遊び人か、といったような感じがする。だが直子は、そんな夫の写真を眺めながら、自分も口元に微かな笑みらしいものを浮かべていた。つまり、惚《ほ》れているらしい。父親がどう言おうとも。

「どういうきっかけでお知り合いに？」

彼女は恥ずかしそうな表情で、夫は仕事の傍ら趣味でバンドを組んでおり、そのライブを見に行ったのが知り合ったきっかけだったと言った。

「お友達に誘われて。そんなところ、行ったこともなかったんですけど」

表情の乏しい、どこか印象の薄い直子の瞳《ひとみ》がきらきらと輝いて、その頃のことを思い出したかのように、頰にほんのりと赤みがさした。

「素人《しろうと》の集まりみたいなライブだったんですけど、私、普段は弟や妹の世話ばっかりで、特に夜なんか、そんなに遅くまで出かけたこともないくらいだったんで、何ていうか——カルチャー・ショックだったんですよね。そこにいる人たちが皆、ものすごく生き生きとして見えて。中でも彼は、すごく目立っていて」

そして、彼女は恋に堕《お》ちた。それは同時に、父親への反発が強まったということでもあったらしい。母親がいなくなってから、ひたすら一家の主婦の役を務め、父の仕事をいちばんに考えて、妹と弟の世話ばかりしてきたという彼女が、化粧を覚え、髪にはパーマをかけた。新しい服や靴を買うようになった。家をあけることが多くなり、帰宅時間も遅くなった。ついには生まれて初めて、父親と怒鳴りあいの喧嘩《けんか》もしたと、彼女はまたため息をついた。

「そりゃあ、見てれば分かりますよね。すぐに、父に言われました。さかりのついたメス猫みたいだとか、免疫《めんえき》も何もないくせに、とか」

「――メス猫は、ちょっと失礼ね」

「今にして思えば、やっぱり言うことを聞いていれば、よかったのかも知れないんですけど」

眠りこけている父親を眺める直子の横顔には、その年齢には似合わない諦《あきら》めと疲労が滲《にじ》んでいる。食事を終え、茶をすすりながら、貴子は何ともやるせない話だと、秘《ひそ》かにため息をついた。激しい罵《のの》り合いの果ての、この現実。滝沢だって、こんな表情の我が子など、見たくないに決まっている。たとえ、どれほど反対した結婚だって、結果として幸せそうに笑っていてくれれば諦めもつくだろうが、こんな顔をされていたのでは、たまったものではない。

「でも、ご主人が好きなんですか？」

両手で湯呑《ゆの》み茶碗《ぢゃわん》を包み込むように持ちながら、貴子は直子を見た。彼女は疲れた表情のまま、虚ろな視線を漂わせ、頼りなげに首を傾げるばかりだ。

「――馬鹿《ばか》だって言われるかも知れないんですけど」

確かに馬鹿だ。少なくとも、貴子はそう思う。

「――ご主人は一体何に、そんなお金を使ってらっしゃるのか、本当にご存じないんですか。ギャンブルとか、または、その趣味のバンドの方で、高い楽器か何か買ってしまったとか」

少しの間、沈黙が流れた。直子は落ち着きなく視線をさまよわせ、何度か滝沢の寝顔を眺めた後で「多分」と呟《つぶや》いた。

「女、だと思います」

ああ、ますます嫌な話になってきた。女がらみのトラブルで、おまけに借金。時には暴力。冗談ではない。滝沢でなくとも別れろと言いたくなるに決まっているではないか。だが直子は、そこまで言っておきながら、どういうつもりなのか、わずかばかり誇らしげにさえ見える表情で、「あの人、モテるから」と呟いた。

「優しい人なんです。だから、女の方で放っておかないっていうか――そういう人を選んだんだから、しょうがないって、そう思うことにしようと思って。前の奥さんは、それが出来なかったみたいだけど――」

「前の？　ご主人、再婚なんですか」

苛々してきた。貴子は薄く微笑みさえ浮かべている直子を凝視した。一体何を考えているのか、どういうつもりなのか、まるで分からない。ふと、下の妹の顔が思い浮かんだ。貴子の妹だって、不倫相手のお陰で子どもを堕ろしたり、睡眠薬を飲み過ぎたりしながら、それでも諦めきれなかった時期がある。半分は意地、だが、確かにあれも愛情だった。そういう出会いをしてしまったということなのか。

「子どももまだ小さいですし、出来れば、もう一人くらい欲しいとも思ってますし――私は、学歴も資格も何もないから。前の奥さんていう人は、彼よりも年上だったし、子どももある程度、大きくなって――」

「子どもも、いたんですか」

苛々を通り越して、今度はうんざりしてきた。そんな男の、一体、何が良いというのか、この上、まだもう一人産みたいなどと、どうして思えるのか。

「失礼ですけど、あなた、前の奥さんのことも、彼の女癖のことも、全部、知った上で結婚したの？」

直子は、その辺りのことについては、すべて滝沢が調べ上げてきたのだと言った。なるほど。滝沢が直接動かなくても、その程度のことを調べる方法くらい、プロにならいくらでもある。

「それでも、気持ちは変わらなかったの？」

「そりゃあ、ショックはショックでしたけど、だって、過去のことを言ったって仕方がないし――私だけは大丈夫だって思ったから」

「――初恋？」

「そういうわけでもないけど。でも――そうかも知れません。あんなに優しくされたことって、なかったし、男の人って皆、父みたいな人だと思ってたから」

直子は諦めたような表情でミカンに手を伸ばし、ゆっくりと皮をむき始めた。華奢《きやしや》な指に、プラチナの細い指輪。確かに、滝沢のような男ばかり見ていれば、線の細い、ふわりとした雰囲気の男性に憧《あこが》れるというのも分からないではない。だが、それにしても選んだ相手が悪すぎるように思う。まだ本人に会っているわけではないから、簡単に断言は出来ないが、こうして少し聞いてみただけでも、これだけの悪い要素が出てくるのだ。滝沢が気に入らないのも無理もない。いや、当然だ。貴子は、自分もミカンを食べながら、それからも思いつくままに、直子自身と彼女の夫に関することを質問し続けた。

直子の夫である谷悦夫《たにえつお》は米沢《よねざわ》の出身だそうだ。少年の頃から電車と音楽が大好きで、だが、音楽でプロを目指すのは難しいに決まっているからと、電車の運転士になる決心をしたのだという。高校を卒業後、希望通りに現在も勤務する電鉄会社に就職、駅員、車掌などを経験した後に、運転士を目指した。

貴子も初めて聞いたことだが、電車の運転士には「動力車操縦者運転免許」という国家資格が必要なのだそうで、同じ会社に勤務している限りは、一度、取ってしまえば更新の必要はないという。だが、その資格を取得するまでには、学科と技能の両方について、相当な勉強が必要で、脱落していく者も少なくないらしい。とてもではないが、休日にバンド活動をしたり、遊んだりする暇はないというところだろうか。それでも悦夫は二十四歳の時に、先輩の紹介で知り合った女性と結婚。相手は二歳年上の、デパート勤務だったという。まず腰を落ち着かせようというのが、先輩の考えだったらしい。それは、あまり羽目を外して遊び回ることの出来ない警察官などにも当てはまることだ。

見習い期間などを経て、無事に一人前の運転士になったのは二十六歳の時だという。早過ぎもしないが、遅すぎもしない、そこそこに順調な歩みといえるらしい。そして、その半年ほど後からバンド活動を再開した。離婚したのは三十二歳の時。ライブ活動などを通じて人間関係も派手になり、その結果に生じた借金と、何度目かの浮気が発覚した挙げ句の、妻からの申し出だったらしい。当時、既に小学生になっていた子どもは、妻が引き取った。そして翌年、直子と知り合い、その翌年に結婚。再婚ということもあり、何よりも滝沢が強固に反対し続けていたから、式は挙げていない。なるほど。それなりに平坦《へいたん》とは言い切れない道を歩んできているらしい。仕事の方は無事故でも。

「運転士を目指すとか、運転士に向いてるとかって、どんな性格の人なのかしら。あなたの目から見て、彼はどんな人？」

いつの間にか丁寧語ではなくなっていた。直子は少し考える表情になった後で、「真面目《まじめ》で几帳面《きちようめん》」と答えた。真面目で几帳面な男が、そんなに女の問題ばかり起こすものかと、貴子は鼻を鳴らしたい気分になった。

「本当なんです。時間に正確じゃなきゃ務まらない仕事だし、やはり神経を使いますから。いくら同じ軌道の上を往復するだけだって、やっぱり人の生命《いのち》を預かる意識とか、緊張感とか、そういうものは必要みたいです」

「じゃあ――私生活が乱れがちなのは、その反動?」

少しばかり意地の悪い気分になっていた。困り果て、追いつめられて、父親にまで助けを求めなければならない状況にあるというのに、その原因を作っている夫を庇《かば》うようなことばかり言う直子が、哀れを通り越して、愚かに見えてきていた。いくら眠りこけているとはいえ、そばに父親がいなければ、または、もう少しよく知っている相手であれば、本当に「あんた、馬鹿じゃないの」と言い捨てたい気分だ。

「まあ――そういう部分もあるかも知れないけど。でも、本当に女の方で放っておかないんです。そういう、人なんです」

一見か弱そうに見えるが、滝沢の言う通り、直子という娘はなかなかの頑固者らしかった。これでは滝沢が離婚など勧めれば勧めるほど、確かに意地になりそうだ。

いつの間にか十一時半を回っていた。もうすぐ日付が変わる。貴子は滝沢の方を一瞥《いちべつ》し、「そろそろ、起こしたら」と直子を促した。寝込みを襲われるような格好で借金取りに来られても困るだろう。直子も頷《うなず》いて、滝沢の肩に手を置いた。小さく揺すりながら「お父さん」と囁《ささや》いただけで、滝沢は、まるで待ち構えていたかのように、がばっと身体《からだ》を起こした。それからしかめ面《つら》のまま慌《あわ》ただしく周囲を見回して、「何時だ」と呟く。

「そろそろ、十二時」

直子が答えている間に、もう頭がはっきりしてきたらしい。滝沢は何度か目を瞬《まばた》いて、おもむろに立ち上がった。荒々しい足音と、ドアの開け閉《た》ての音。たかだか目覚めて手洗いに行くという、ただそれだけで、部屋中の空気を大きくかき回し、コタツでも何でも、周囲のすべてを軋《きし》ませるようだ。こういう父親を持ったら、反動として谷悦夫のようなタイプに憧れるのかも知れないと、改めて思う。それはそれで、分からなくもない。確かに。

「ああ、よく寝たな。お茶」

手洗いから戻ってくると、滝沢は首筋をかきながら、改めて貴子の向かいに腰を下ろした。そして、直子の入れたほうじ茶を、ずず、とすすりながら飲む。

「悪かったな、こんな時間までつき合わせて」

茶碗から立ちのぼる湯気を眺めるようにしながら、滝沢が呟いた。貴子は「いえ」と小さく答えるしかなかった。

「お嬢さんのお料理、美味《おい》しかったです」

「そうかい」

「うらやましくなりました」

「そうか」

「こういう女房、私が欲しいくらいです」

滝沢が、ちらりとこちらを見て口元を歪《ゆが》める。多分、滝沢自身だって、そう思っているのに違いなかった。たとえ女房でなくても、娘のままで手元に置いておきたかったと思っていることだろう。もちろん、料理の腕のためだけでなく。

3

零時を回っても、誰もやって来なかった。電話も、ことりとも鳴らない。それなりに緊張感を高めながら、十分、二十分と待ってみるが、やはり変化はない。

「ただの脅しだったんでしょうか」

零時半を回った頃、貴子から口を開いた。滝沢は目をつぶり、腕組みをしたままで唸《うな》るような声を出している。

「でも、本当に、今夜中にって——確かに、そう言ったんです」

直子も困惑した表情になっている。

「とりあえず今夜はこのまま何ともなかったとしたら、明日以降、どうしますか」

滝沢がため息をつきながら目を開いた。

「ここは、うちの管内じゃねえからな。それが面倒なんだよな」

確かに警視庁管内なら、ある程度の知り合いもいるし、それなりの手の打ちようもある。ある。だがここは神奈川県警の「縄張り」だった。ことが厄介になってきた場合、いくら個人的な事情だといっても、刑事事件に発展しかねない問題で警視庁の人間が勝手に動いたとなれば、後々面倒なことになりかねない。かといって、事件性があるかどうかの判断も出来ない現状では、申し送りのしようもないのだ。

「まあ、もう少し待ってみるよりほか、ねえやな」

滝沢の前の灰皿には、吸い殻が山盛りになっている。貴子も少しずつ眠気を催しつつあった。夜通し起きていなければならない当番勤務の日のことを思えば、どうということもないのだが、何しろ今日は日勤で朝が早かった。その上、満腹にもなり、こうして温かいコタツなどに入っていれば、自然の摂理として眠くなる。本当に眠くなる前に、帰らせてもらった方が良いだろうかと考え始めたとき、「直子」という滝沢の声が、貴子の耳には、意外なほど大きく聞こえた。いけない。本当にぼんやりし始めているらしい。

「父さんを呼んだまではいいが、実際に借金取りが来たとして、それで、どうして欲しいんだ」

「だから――」

直子は、半ば膨れっ面《つら》のような、困惑した表情になって目を伏せる。

「どっちにしても、うちには今、お金なんかないし――どういう借金かも知りたいし――だから、お父さんには、そのことを聞いて欲しいのと、もう、あんまり怖いことをしないように――」

「頼めばいいのか。その、借金取りに。取り立ては谷の方だけに行ってくれって。女房たちは関係ないんだからって。真夜中に脅してくるくらいなら、亭主の方を煮るなり焼くなり、好きにしてくれていいからって」

直子は、ますます膨れっ面になっていく。皮肉っぽい表情の滝沢と、煮え切らないままでいる娘とを見比べながら、貴子はそろそろ腰を上げるタイミングをはかり始めていた。今の滝沢なら十分に冷静だ。酔いも醒《さ》めた様子だし、貴子が傍にいなくても大丈夫だろう。

「だったら、言うぞ。そういうふうに」

「そんな――だって、お父さん警察官なんだし、そういう人たちが来たら、もう少し何とかしてくれる方法が、あるんじゃないの」

「そりゃあ、無理矢理に入り込んできたり、玄関の前で騒いだりすりゃあ、そのことに関して何とかすることは出来るかも知れんが、そういう場合は一一〇番すりゃあ、いいことだ。所轄《しょかつ》のお巡りさんが、すぐに来てくれるだろうさ」

「だから、そういうことじゃなくて」

「だって、借金したのは谷なんだろう、ええ？　どういう相手から借りたかは知らねえが、そりゃあ、借りた金なら、返さなきゃならんだろうが。大体、何のために作った借金なんだよ」

「――知らないけど」

家具だらけの狭い部屋に、重苦しい空気が漂う。貴子はそっと腰を浮かして、とりあえず手洗いを借りることにした。

あらためて台所を抜けるとき、入ってきたときには気づかなかった玄関脇《わき》の飾りつけなども目についた。そこここに、ギフトショップなどに売られているような小物類が溢《あふ》れて、可愛《かわい》らしく飾りたてられている。案内された手洗いも、少しばかり落ち着かない気分にさせられるくらいに、少女趣味に飾られていた。洋式の便器や便座、ペーパーホルダーには花柄のパイル地カバー、床にももちろん揃《そろ》いのマットが敷かれている。貯水タンクの上の水が流れる部分にまでガラスで出来た動物やビー玉が飾られて、狭い空間だというのに、片隅には小さな飾り棚までが置かれ、家族の写真や陶器の置物が並んでいた。壁にはレースのポプリやクリスマスカードなどが、いくつもピンで留められ、同じくレースで縁取られた花柄のカーテンの向こうに見えるアルミサッシの窓枠だけが、妙に無粋に見えるくらいだ。

——夢。

こういう世界が、彼女の理想だったのかもしれないと、ふと思った。居間でも手洗いでも思い通りに飾りつけて。いかにも夢一杯の温かい雰囲気にして。彼女にとって、この狭い社宅は夢のお城、谷悦夫は王子様だったのに違いない。それは、滝沢と暮らしてきた家には、まるで見出《みいだ》すことの出来なかった要素なのではないだろうか。もしかすると、ごく普通の家庭なのかも知れないのに、直子という人には、母親がいないことも手伝って、どこか殺風景で味気ない空間にしか見えていなかったとも考えられる。だから、精一杯に飾り立てたい。満たされなかった思いを、今、こういう形で埋めようとしている。そして谷悦夫も、直子にとっては夢なのかも知れない。

だが正直な話、貴子さえ落ち着かない気分になりそうな、こんな世界を、一回り年上の直子の夫は、どう感じていることだろうか。真面目《まじめ》で神経質だという谷悦夫は、果たしてこのような空間で神経を休めることが出来ているのかと思う。少なくとも貴子なら、最初の頃こそ良いと思っていても、やがて煩《わずら》わしくなってしまいそうな気がする。うるさい。面倒だ。休まらない——男が、自分の家庭に対してそんなことを思うようになったとき、果たしてどうするものだろう。

狭い空間を眺め回しているうち、寒さのせいもあって、すぐに目が覚めてきた。さあ、これでさっさと帰ってしまおうと思いながら手洗いを出た時、電話が鳴った。貴子は、思わず足早に居間に戻った。直子が怯《おび》えた表情で電話機の前に立っているところだった。

「私が、出ましょうか？」

直子にでなく、滝沢の方に言ってみた。滝沢も幾分、厳しい表情になっている。

「まず、直子に出させよう。だが、声は出すな。まず相手の声を確かめて、谷じゃなかったらそのまま、代わってもらうんだ」

「じゃあ、私、彼女の姉ってことで、いいですね」

「相手が何か聞いてきたらな」

数回のコールの間に素早く打ち合わせを済ませて、直子に目配せをする。青ざめた表情の直子は、目の下にはっきりと見て取れるほどの隈《くま》を作っていた。

受話器を取る。一瞬の沈黙。次に直子は、慌《あわ》てたような表情で、貴子に受話器を差し出してきた。どうやら借金取りらしい。

「もしもし、聞いてんのかよ」

貴子が受話器を耳にあてた途端、荒々しい声が聞こえてきた。

「よう！」

「——あなた、どなたですか」

「何、とぼけたこと言ってんだよっ。いいか、金は出来たかって聞いてんだっ」

「無理だわ、そんなの」

「何だと？　何だよ、その開き直り方はようっ」

「だから、あなたはどなたですかって聞いてるんじゃないの。名前も言わないような人から、いきなり金を返せって言われたって、どうすることも出来ないでしょう」

ふざけやがって、という声が聞こえた。滝沢もコタツから出てきて、真剣な顔でこちらに歩み寄ってくる。

「てめえの亭主が作った借金だろうがっ！　亭主が返せねえって言ってんだから、女房が何とかするのが、当たりめえだろうっ」

「私、主人から何も聞いてませんから。本当にうちの主人が作った借金なんですか？

証拠はあるんですか？　借用書でもとってあるんですか」

「証拠だって？　証拠？　おう、あるに決まってんじゃねえか。ちょっと待ってろよ、おい」

受話器を手で押さえるような雑音が聞こえた。十秒ほどすると、今度は違う声が「もしもし」と言った。

「直子、頼むよ。払ってくれよ。そうじゃないと、本当に困ったことになるんだって。なあ」

貴子は急いで受話器をふさぎ、「ご主人がいるみたいです」と囁《ささや》いた。直子が大きく目を見開いて電話を受け取る。そして、受話器を耳にあてた瞬間、彼女の顔にぱっと赤みがさした。それを見て、今度は滝沢が受話器をひったくった。一瞬の沈黙。貴子は思わず固唾《かたず》を呑《の》んだ。

「谷か。俺だ。滝沢」

滝沢の声は、あくまでも静かで、低く落ち着いている。だが、その方が怖いと思った。思わず両頬のあたりを、ぞくぞくとする感覚が走った。

「聞こえるかい、おい、谷。今、どこにいるんだ。その、傍にいるのは、誰だ」

眠気など吹き飛んでいた。貴子の視線よりもわずかに低い位置にある滝沢の耳に、耳垢《みみあか》が見えた。

「いいか、俺の言うことをよく聞くんだ。この電話には逆探知がかけてある。これ以上、大ごとにしたくないと思ったら、傍にいる奴《やつ》に説明して、すぐに帰らせてもらえ。どうしても金を返して欲しいんなら、お前と一緒に、今すぐに来るように言うんだ——ええ？　どうして——だったら——何だって？　どうして。ああ、いいや。じゃあ俺から話すから。ほら、電話、代われ。早く」

電話口を手で押さえて、滝沢は横目でこちらを見上げ、「慌てていやがる」と囁いた。誰が？　借金取り？　谷悦夫？　悦夫が慌てるなんて、おかしい。喜ぶのなら、いざ知らず。貴子が考えている間に、滝沢は再び「ああ」と声を出した。

「だから、こっちに来てもらえませんかね、谷を連れて。どうせ来るつもりだったんでしょう？　金を返して欲しいんなら、そりゃあ、来なきゃ無理だもんな。ああ、それから、谷から聞いたと思いますがね、この電話は逆探知がかけてあるんでね、まあ、申し訳ないけど、用心に越したこたあ、ないんでね。で、何分で来られますかね——ああ、分かりました。三十分ね。じゃあ、三十分待って帰ってこなかったら、こっちも考えさせてもらって、いいですか——いや、べつにことを荒立てたくはないんでね。そりゃあ、あんた方と一緒だ。何も余計な仕事なんか、増やしたくはないでしょう。

ねえ」

さあ、いよいよだ。何となく気持ちがはやってきた。だが、こういう場合は次にどう動けば良いのかが、貴子にはよく分からなかった。しかもここは管轄外だ。

「あの人、大丈夫？　ねえ、お父さん――」

電話を切ると、直子がすがりつくように口を開いた。滝沢は苦虫を噛《か》みつぶしたような顔で「あれだけ言えばな」と唸《うな》った。

「まあ、待つしかねえな。それより、煙草《たばこ》ねえか」

「あるけど――彼の、買い置きしか。お父さんが吸ってるのと違うわよ」

いいよ、何でも、と言いながら、滝沢は再びコタツに足を入れた。ここまで来て、さっさと帰るわけにもいかない。いや、いる必要もないのだが、これでも何かの足しにはなるだろうし、ことの顚末《てんまつ》を見届けたい気持ちの方が強かった。貴子は自分も静かにコタツに足を入れた。

「相手は何人でしょう」

「どうだかな。まあ、本物なら、少なくとも二人以上で来るだろうさ」

本物なら。やはり滝沢は、何か疑っている。借金取りと、谷悦夫。

「まさか――」

つい、口を開きかけた瞬間、滝沢に目で制された。貴子は、煙草を取りに奥の部屋へ行ったらしい直子の方に視線を投げかけ、何とも落ち着かない気分になった。これから彼女は、どんな光景を目の当《ま》たりにするのだろうか。

一杯になっていた灰皿を空にして、ポットに水を足し、急須《きゅうす》の茶葉を入れ替える。ミカンのスジが散っているコタツの上を拭《ふ》き、三人分の湯呑み茶碗《ぢゃわん》も残っていた中味を空けてくる。直子一人が動き回っていた。時計の針は、速くもなく、遅くもなく、ゆるゆると進んでいく。途中で一度、奥の部屋から「いやーん」という、小さな泣き声が聞こえた。直子は慌ただしく奥の部屋へ行き、その時だけは、滝沢も大きく姿勢を変えた。だが、声が聞こえたのはその時だけで、あとはまた静寂が戻った。

「よう」

直子が茶を入れ替えたところで、滝沢が口を開いた。

「奴の仕事っていうのは、どういう時間帯で進んでるんだ」

「前と同じ」

「前とって」

「早出のこともあれば、遅出のこともあるわ。その辺はお父さんと一緒だって言ったでしょう」

「それにしたって、ある程度はちゃんとシフトで決まってるんだろう。いくら何でも、俺らみたいな緊急の呼び出しなんて、ないんだろうし」

「でも、始発からの出のときもあれば、終電まで動かして、仮眠して始発にも乗るとか、その時によって違うから。緊急の時のための待機の日もあるし、誰かと交代するときもあるし」

「つまりは、まるで不規則か。帰らねえ晩も、珍しくも何ともない、と」

「そこだけは、思ってたのと違ってた。私は毎晩、ちゃんと帰ってきてくれる仕事の人と一緒になりたかったのに」

直子は諦《あきら》めたような表情で呟《つぶや》くと、何を思ったのか、また立ち上がって台所へ行った。少しすると、ちゃっちゃっちゃっと米を研ぐ音が聞こえてきた。こんな夜中に。おそらくは、これから帰ってくる夫のために。

「呆《あき》れたもんだろう」

その音を聞き、輸入物のメンソール煙草に手を伸ばしながら、滝沢は顔を歪《ゆが》めて呟いた。

「子ども産んで、飯を作るより他に能がない。あんたみたいな人から見たら、情けなくてしょうがねえだろうな」

まさか、滝沢の口からそんな言葉が聞かれるとは思わなかった。女は早く結婚して、母親になって、家庭を守れば良いのだと、そんなことばかり言っていたはずなのに。仕事など持ったって生意気になるばかりで、可愛げもなくなるし、ろくなことはないと、確か、そうも言っていた。

「ガキの頃は、やれデザイナーになるんだとか、美容師がいいとか、何だかんだと言ってたもんだが、結局は、このざまだ」

「そんなこと、ありません。お嬢さん、健気《けなげ》じゃないですか」

「健気にする必要なんか、ありゃしねえのに、だ。いいか。賭《か》けてもいい。野郎にくっついてくる借金取りは一人だけだ」

さっきの滝沢の表情から、そんなことだろうとは思った。だが、滝沢はどうしてそう思ったのだろうか。

「つまり、グル、ですか」

ふう、と煙草の煙を吐き出しながら、滝沢は「多分な」と顔を歪めた。

「そういう野郎なんだよ。どっちに転んだって、ましなことなんか、ねえんだ。ただ、あれが、そういう亭主の企《たくら》みを知った上で、どうするか、だ」

思わず台所の方に視線を走らせていた。冷たい水を流して、米を研ぎながら、果たして直子は今、何を考えているのだろうかと思った。

やがて、時計の針は一時を過ぎ、一時半を回った。約束の三十分など、とうの昔に過去になった。直子が落ち着きをなくし始める。こうしていても、建物の外が冷え込みを強め、一層、静まりかえってきているのが感じられた。

「携帯、鳴らしてみようか」

直子が不安そうに呟いた。滝沢は、決めかねるように眉《まゆ》を微《かす》かに動かしただけだった。恐ろしくて帰ってこられないのか。それとも、本当に借金取りに脅されているのか。女房の父親が警察官であるということが、今の谷悦夫にとっては、どういう意味を持っているかが分からない。

午前二時を回った時だった。建物の外で、ようやく微かな車のエンジンの音が聞こえた。再び眠気を催しつつあった貴子は、慌てて気持ちを引き締めた。直子が滝沢の顔を見つめている。滝沢も一点を凝視していた。

エンジンの音が止《や》む。微かに、スライド式の鉄の門扉《もんぴ》を引く音。こつ、こつ、と階段を上ってくる。一人か、二人か。多くはないと思う。だが、相手がスニーカーなら話は別だ。

直子が腰を浮かせかけた。それを滝沢が手で制した。

「ちょっと、頼むわな」

滝沢は、貴子にそれだけ言うと、コタツの天板に体重をかけて立ち上がった。再び、部屋の空気が大きく動く。彼は鴨居《かもい》にかけてあったハンガーから上着とコートを引き剝《は》がして、ばさばさと音を立てながら、手早く着込み始めた。その時、ピーンポーン、と、不気味なほど軽やかなチャイムの音が響いた。

「私も玄関のところで待機していますから。何かあったら、すぐに呼んでください」

自分も腰を浮かせながら貴子が声をかけると、滝沢は後ろ手に手を振って、可愛《かわい》らしい布地の暖簾《のれん》をくぐっていった。

4

ものの十五分足らずで、滝沢は背後に谷悦夫一人を従え、全身に冷気をまとって帰ってきた。他には、借金取りらしい影も何もない。玄関先に待機していた貴子に気づくと、滝沢は口元だけを微かに歪めて、小さく頷《うなず》いて見せる。無事終了。そんな意味に取れた。

「さすがに冷え込んできてるな」

再びコートを脱ぎ、居間に向かう滝沢の後から玄関に入ってきた谷悦夫は、鼻の頭を寒そうに赤くした顔で貴子を見、半分は驚いたようでありながらも、「どうも」と人なつこそうな笑みを浮かべた。やはり、滝沢の勘は当たっていたのかも知れない。つい今し方まで、借金取りに締め上げられていたにしては、その笑顔には余裕がありすぎる。とりあえず小さく会釈《えしやく》を返しながら、貴子は、直子の愛する夫を観察した。

ピーコートの襟元からは、ざっくりとした感じのタートルネックのセーター。色はグレー。下はジーパン。勤務そのものが制服だから、普段はこんなものなのかも知れない。三十七歳と聞いたが、もう少し若く、下手をすると三十そこそこにしか見えない。さらりとした印象の髪を、わずかに染めているせいもあるだろうか。色白の細面は写真通りで、特に顎《あご》が長いようだ。目と眉は両方とも下がり気味、しかも間隔が広い。それが谷を好人物に見せていると思う。口元は小さめ。淡いピンク色の唇。甘ったれな印象。

「あの、どなた、でしたっけ」

自分からにっこりと笑っておきながら、貴子がわずかな間にそれだけのことを観察していると、谷は不思議そうに首を傾《かし》げた。

「僕、多分——初めてですよね。お会いするの。ええと、直子の？」

下がり気味の目尻《めじり》をさらに下げて、谷は、いかにも人なつこそうな笑みを浮かべている。貴子は慌《あわ》てて首を振った。滝沢は、貴子のことについては、何も説明していなかったらしい。

「滝沢さんと、同じ職場の者です」

「同じって。じゃあ、婦警さん？」

谷は、へえ、と珍しそうな顔になって、しげしげとこちらを見る。そして、再び口を開きかけたとき、それまで台所の片隅にいた直子が「パパ」と声をかけた。

「お父さんも、待ってるから。早く奥に入ったら」

その声は、さっきまで貴子を相手にして、何やら煮え切らないことばかり言っていたときとは、どこか雰囲気が違っていた。唇もきつく引き結んで、彼女は硬い表情を崩そうとしていない。考えてみれば当然の話だった。まだ、ことの顚末《てんまつ》について何一つとして聞かされていないのだ。促されて、谷はようやく我に返ったように、すごすごと居間に入っていく。その様子を、直子はじっと見つめていた。そして最後に、ちらりと貴子の方を見た。一瞬、貴子の足が止まった。あなたも来るわけ？　ここからは家族の問題なのに。さっきとは表情を変えている直子の目が、確かにそう言っていると思った。しまった。滝沢が入ってきたのと入れ違いに、暇乞《いとまご》いをしてしまうのだったと思ったが、もう遅い。

「音道、何してるんだ」

滝沢の声がした。直子の目に、さらに嫌悪《けんお》の表情が浮かんだ。貴子は申し訳ない気分で、すごすごと居間に戻った。滝沢は、さらに「直子も」と娘を呼んだ。

「厄介かけて、悪かったな。一応、今度のことは、話もついたから」

四人がコタツを取り囲んだところで、滝沢が口を開いた。貴子は、小さく頷いただけで、あとはひたすら、存在を消すことにした。

「どう、話がついたかっていうと、だ。おい、お前から説明したらどうだ」

促されて、俯《うつむ》いていた谷が顔を上げる。さっき、貴子に笑いかけていたときとはまるで違う、神妙な表情になっていた。

「今回は——」

声までかすれさせていた。背中を丸め、ふう、と小さく深呼吸をして、谷はまた顔を上げる。確かに、滝沢に比べれば、男臭いという雰囲気でもなく、むしろ甘い雰囲気の持ち主といって良いとは思うが、それでも、この玩具《おもちゃ》箱のような部屋に似合うという感じでもない。

「親父《おやじ》さんが、肩代わりしてくれることになったんで——あの、落ち着いたら、あとは少しずつ、返していくっていうことで」

「落ち着いたらって？」

直子が眉根を寄せて顔を突き出す。谷が、滝沢にちらりと視線を走らせた。

「だから——その」

「残りの借金を返し終えたらって、ことだろう」

「残りって、あと幾らなの。今月、返せなかったものが、来月は返せるの？　これまでに借りたサラ金の分だって返していかなきゃならないのよ」

「いや——残りの金は、本当に、もう少しずつで大丈夫なように、今さっき親父さんが——」

「嘘《うそ》っ」

直子の声が、さらに厳しくなった。

「今日みたいな、あんな怖い脅しの電話を寄越す連中が、どうしてそんなにすごすごと引き下がるのよっ。お父さんが刑事だから？　だとしたら、お父さんがいなくなったら、またすぐに来るんじゃないの？」

「本当に、もう、そういうことは、ないから」

「どうして言い切れるのよ。絶対に、おかしいっ。何か、私に隠してるっ」

「やめなさい、大洋が起きるだろうっ」

今度は滝沢がなだめる番だった。だが直子は引き下がろうとしなかった。

「どうせ、女で作った借金なんでしょうっ。それを、どうしてお父さんが肩代わりしてやらなきゃならないのよ！　お父さん、彼の職場にでも何でも、取りに行かせればいいって言ってたじゃない！」

「分かったから、静かに話せって」

滝沢がうんざりしたように顔をしかめた。直子は興奮のために顔を紅潮させ、目を大きく見開いて、二人の男を睨《にら》みつけている。

「いつの間に、二人でグルにならなきゃならないの。どうしてそうやって、私をだまそうとするのよっ」

一体、どういう借金なのか、貴子も不思議になっていた。滝沢が、嫌いだと言い続けている男のために、男気を発揮するような、いわゆる人情話的な理由があるというのだろうか。それなら、どうして直子に秘密にする必要があるというのだろう。

——女がらみじゃない借金？

強請《ゆす》りたかりの類《たぐい》なら、人情を出すより法的な手段に訴えるのが先だ。第一、借金取りをそのまま帰らせてしまうはずがない。この時間に、さっと駆けつけてくれるような神奈川県警の知り合いを、滝沢は持っているのだろうか。それならば、もっと早く連絡をしても良さそうなものだし、一一〇番したというのなら、パトカーは勇ましいサイレンとともに走って来ているに決まっている。

「ねえ、言ってよ。どうやって、お父さんまで丸め込んだのよっ！　今度は、どんな嘘をついたの」

「もう、やめてくれよっ！」

たまりかねたように、谷が声を張り上げた。普通に話しているときには、さほど感じなかったが、張りのある、朗々と響き渡る声が、部屋の空気を震わせた。そういえば、この男はバンドを組んでいるのだと、改めて思い出した。しかも、運転士になる前は車掌も経験している。鍛えられた声なのだ。

「やめてくれって――」

だが、その声はすぐに弱々しいものに変わり、谷はさらに背を丸めるようにして、

「もう、分かったから」と呟《つぶや》いた。

「何が分かったのよ。ねえっ」

「よしなさい、直子」

滝沢が、ようやく二人に割って入った。

「父さんから、話すから」

谷の表情が、ぎゅっと歪《ゆが》んだように見えた。貴子は、ますます身の置き所がない気分になりながら、微かに俯いた。

「子どもがな——前の女房のところに置いてきた子どもが、病気なんだと」

直子の瞳《ひとみ》が、きらきらと光って見える。それとは対照的に、谷はさらに打ちひしがれたような顔になった。

「癌《がん》だそうだ。それで、治療費のことで相談があったんだと。これまで養育費だって払ってこなかったんだから、せめて、こういう時くらいは助けて欲しいって。女手一つじゃあ、とてもじゃないが、どうすることも出来ないってな」

直子は父と夫とを見比べている。

「あの借金取りは、芝居だそうだ。同じ職場の友だちに頼んだんだと。お前から金を引き出すには、もう他に方法がないと思ったんだそうだ。俺も今さっき会ったけどな、名刺も身分証明書も持ってたよ。確かに、谷の職場の男だった」

滝沢は、また新しい煙草《たばこ》に手を伸ばす。谷が素早くライターを取り出して、舅《しゅうと》が煙草をくわえるのを待ち構えた。

「何せ、病気が病気だしな、いくら別れたって、この男の子どもに違いはないんだし。

その辺のことは、おまえだって分かってやらなきゃ。そういう男だって承知して、一緒になるって決めたんだし、お前だって母親なんだから」

「——それで、お父さんが肩代わりしてくれることにしたの」

「だって、お前、もう貯金だって何もないって、言ってたろう。そういうことなら、今度ばかりは、しょうがねえだろうが。だから明日な、振り込んでやるからって」

滝沢が、ふう、と煙草の煙を吐き出し、部屋の空気がようやく多少の穏やかさを取り戻したと思ったときだった。直子の「馬鹿《ばか》じゃないのっ」という声が響いた。さっき、貴子が直子に言ってやりたいと思った台詞《せりふ》だ。

「——それで、お父さん、信じたの。そんな話をっ。そんな、口から出任せを！」

今や直子は、まるで別人のような顔になって、夫を睨みつけていた。

「すごい。本当に嘘つきねえ、許せない。私だけじゃなくて、お父さんまでだまそうとするなんて——最低！」

言うが早いか、彼女はコタツから出て、荒々しく立ち上がった。

「私、ちゃんと知ってるんだからっ。子どもは癌なんかじゃないっ。第一、この人の前の奥さんは、もう去年、再婚してるのよ！　再婚して、子どもも一緒にロンドンへ行ったわよっ。住所だって、電話番号だって、知ってるんだからっ」

それだけ言うと、彼女はピンク色のカーペットを踏みしだくようにして、奥の部屋へ行ってしまう。滝沢は呆気《あっけ》にとられたような表情で、その娘の後ろ姿を眺め、それから谷に視線を移した。

「おい——」

滝沢の口元からかすれたような声が洩《も》れた。

「どういうことだ、おい」

谷は、困惑しきった表情で言葉を失っていたが、慌てたように自分もコタツを出て、「直子」などと言いながら、奥の部屋へ消えた。ぼそぼそと低い声が聞こえてくる。

次の瞬間、パチン、という音が聞こえ、それから、直子の激しい泣き声が聞こえてきた。馬鹿。最低。もう嫌。嘘つき。限界。貴子は、滝沢と共に取り残され、ますますどんな顔をしていたら良いのか分からなくなった。

「すみません。私、そろそろお暇を」

逃げるなら今のうちだ。おずおずと腰を浮かせかけると、だが滝沢が首を振った。

「悪いけど、もう少し待ってくれ。ひょっとすると、あいつと孫も、乗せてってもらわなけりゃあならないかも知れん」

何なの。人を運送屋と間違えてるわけ。便利屋扱いならごめんだという思いが頭をかすめたときに、「頼む」という声がした。

「あんな状態の娘と、とてもじゃねえが、二人きりじゃいられん。その上、孫まで連れてっていうのは」

滝沢はひどく疲れた顔をしていた。貴子は、この男も、やがて老いていくのだと、ふと思った。娘のためだと思えば、簡単な嘘も見破れなくなり、勘も経験も役立たずになる、その姿は、これまでに貴子が知っていた滝沢ではない。外見さえ、一回り小さく見えるようだった。

「——じゃあ、どうしろって言うのよっ！」

泣き声が小さくなり、やがて、またぼそぼそと何かの声が聞こえていたかと思うと、ふいに直子の声が響いた。

「冗談じゃないわよっ。そのくせ、さっきだって玄関から入るなり、もう音道さんに愛想振りまいて。人を馬鹿にするのも、いい加減にしてよ！」

ぱん、と音を立てて、襖《ふすま》が大きく開いた。直子は両手に一つずつ、大きなバッグを提げて仁王立ちになっている。

「お父さん、悪いけど、これ持って。私、大洋を抱いていくから」

彼女の背後には、谷がおろおろと立ち尽くしている。

「まあ、落ち着け。座れ」

荷物を差し出す直子を一瞥《いちべつ》して、滝沢は眉《まゆ》をひそめたままで唸《うな》るように言った。

「ほら、座れって」

繰り返し言われて、直子は涙の乾かない顔のまま、再びコタツに入る。滝沢は、次いで谷のことも呼んだ。直子に叩《たた》かれたせいだろう、頬に赤い痕《あと》をつけて、谷は口元を歪めながら戻ってきた。一見お人好《ひとよ》しに見える男だが、こういう表情になると、なかなか抜け目のなさそうな、陰険そうな男という印象にもなった。

「ちゃんと説明してもらおうか。どういうことだ。俺を、だましたのか」

滝沢は押し殺した声で、谷を見据えた。すると、黙ってうなだれていた谷は、急にその場にひれ伏すようにして、「すみませんっ」と、頭をカーペットにこすりつけた。

「すみませんでしたっ！　まさか、親父さんが来てるなんて思わなくて、さっきの、あいつと相談して、どうしようって——すみません、許してくださいっ！」

チェストとコタツとの狭い隙間《すきま》で、谷は必死に背中を丸め、頭を下げ続けている。貴子の位置からは、そのジーパンの尻《しり》と、裏がすり切れかかっているソックスが見えるばかりだった。

「つまり、直子の言う通りなんだな。子どもが癌で入院してていうのは、全部、でたらめか」

「すみませんっ」

「金が必要な理由は、べつにあるわけだ」

「それは――」

「やめてくれや。もう聞きたくねえ。どうせ、何かの遊びでしくじったか何かなんだろう。女かギャンブルか、その、バンドごっこか知らねえけど」

滝沢は深々と煙草の煙を吐き出し、「それで」と、今度は直子の方を見る。

「お前は、どうして前の女房のこと、そんなに詳しく知ってるんだ」

「それは――向こうから連絡があったから」

「何で」

「――何回か、会いに行ったことがあって。その時に、約束してもらってたから。何か変わったことがあったら、必ず知らせてくれるように」

「どうして会いに行く必要があったんだ」

直子は泣き腫《は》らした目を伏せ、しばらくの間、唇を噛《か》んでいたが、やがて「だって」と呟いた。

「彼が――まだ忘れてないんじゃないかって思ったし――現に、たまに会いに行ってるみたいだったから」

「そ——それは、子どもに会いに行ってただけなんです」

「だったら、子どもだけと外で会えばいいじゃないっ。どうして家にまで行く必要があるの！　あの人、にやにや笑いながら、私に言ったのよ。『彼、あんまり優しくしてもらってないみたいね』って！　『帰ってきてもいいかって聞かれて、困っちゃったわ』って！」

直子は唇を震わせ、瞳からは次々に新たな涙が溢《あふ》れ出ていた。貴子は、話を聞いているだけで、ひどい疲れを覚え始めていた。思わず密《ひそ》かにため息をついたのと、滝沢の「もう、やめてくれ」という声が聞こえたのが同時だった。

「お前ら、一体、何なんだよ、ええ？　よう、もう顔あげろよ。どうせ、格好だけなんだから、かえって目障《めざわ》りなんだよ」

フィルター近くまで吸った煙草を灰皿に押しつけ、滝沢は憂鬱《ゆううつ》そうにゆっくりと目を閉じると、深く長く、息を吐き出した。

「一人は嘘《うそ》に嘘を重ねて、何の理由だか知らねえが、女房から金を搾《しぼ》り取ろうとする。サラ金に借金までさせて、女房の父親までだまして。そうかと思やあ、もう一人は、てめえの亭主が信じられなくて、別れた女房にまで会いに行く。恐らく、暇さえありゃあ、亭主の持ち物から何から全部ひっくり返して、浮気の証拠でも集めようとしてるこったろう。お前ら一体、何なんだ？　ええ？　何をどうしたくって、わざわざ一緒に暮らしてんだよ」

「だって」

直子が即座に口を開いた。

「この人が、信じさせてくれないんだもの。仕方がないじゃない」

「そういう亭主を選んだんだろうが。あの時だって、父さんはさんざん反対したんだぞ。でも、この男がいい、この男と一緒になれなかったら死ぬとか、そんなことまで言ってたのは、どこのどいつなんだよ」

「だって」

「だってもあさってもあるかよ。どうして信じられねえんだよ」

「だから、信じさせてくれないんだもの。こうやって嘘ばっかりついて、いつだって私一人、置いてけぼりにして」

「信じる信じないっていうのは、てめえの問題なんだよっ」

奥の部屋から、またもや「いやーん」という声が聞こえた。だが直子は動かない。ふてくされたような表情で、頰は涙で光らせたまま、ただ一点を見据えるばかりだ。

奥の部屋から「ママァ」という声がする。それでも、誰一人として動こうとはしなかった。やがて滝沢は「まあ、いいや」と唸《うな》るように呟いた。

「とにかく、そんなに疑い続けてて、信用できなくて、どうして一緒にいなきゃならねえんだよ。お前もだ、谷。そんなに女房を利用することしか考えられねえで、嘘ばっかりつき続けなきゃならねえ相手と、どうして一緒にいる必要があるんだ。俺にはさっぱり、分かんねえよ」

滝沢は、再び深々とため息をつき、何か言葉を続けようとして、諦《あきら》めたように口を噤《つぐ》んだ。

「音道、帰ろう。悪かったな、妙なことにつき合わせて」

言うが早いか、滝沢はもう立ち上がる。貴子も急いで立ち上がった。既に午前三時を回っていた。

「音道さん、私も乗せていってもらっていいですか」

直子も慌《あわ》てたように立ち上がろうとした。すると、滝沢が「駄目だ」と言った。

「お断りだ。これ以上、音道に迷惑をかけるな。俺だって、お前ら夫婦に振り回されるのは迷惑だ。金輪際、断る」

「お父さん――」

「もう少し大人になれ。何のために一緒になったのか、よく考えろ。だが、言っておくが、この男は、この先、ろくなことにはならんと思うぞ。どっかで相当、性根を入れ替えでもしねえ限り、そのうち今よりももっと面倒なことを起こすだろう。こういう嘘をつく野郎を、俺はさんざん、見てきてる」

それだけ言って玄関に向かう滝沢の後を、貴子も黙ってついていった。背後に、赤ん坊の泣き声だけが残った。ついさっきまでは滝沢自身、直子と孫を連れて帰るつもりでいたのではないかと思うと、不思議な気もしたが、敢《あ》えて口出しをすることでもない。

外は一層冷え込んで、吐く息さえも凍りそうなほどだった。頭上には、都心では考えられないほどの無数の星々が瞬《またた》いている。貴子は思わず小さく身震いをしながら、足早に車に乗り込んだ。後ろのシートに滝沢も乗り込んでくる。

ヘッドライトが闇《やみ》を探る。車内にエアコンの温風が吹き出し始めたところで、貴子はゆっくりとアクセルを踏んだ。頭の芯《しん》が痺《しび》れている。眠いとか疲れたというより、嫌な感じの疲労感だけが、ぼんやりと脳味噌《のうみそ》をくるんでいるような気分だ。

「まいったな」

背後から、うめき声のような呟《つぶや》きが聞こえてきた。

「とんだ茶番だ。なあ」

貴子は何も応《こた》えなかった。応えようにも、言葉が見つからない。

「みっともないとこ、見せちまったもんだ」

「──」

「情けねえ話だ。ったく」

「──」

「あんな野郎に、まんまと一杯食わされるとはな」

「──」

「親馬鹿を通り越して、ただの馬鹿だな。こりゃあ」

「──そんなこと、ないです」

「すまなかったな、本当に。申し訳なかった」

「──いえ」

それからしばらくは沈黙が続いた。また眠ってしまったのかと思って、貴子は時折、ルームミラーを覗《のぞ》いた。だが滝沢は、腕組みをし、火を灯《とも》していない煙草《たばこ》をくわえたままで、目を見開いている。彼の胸中は分からない。だが、複雑であることだけは間違いがないと思う。父親として、刑事として。

ハンドルを握りながら、貴子は自分が離婚する前後のことを考え始めていた。夫は、嘘はつかなかった。貴子は、彼を疑ったこともなかった。女との関係が露見した後も、彼は浮気ではなく本気だと言い放ち、ついに最後まで、貴子に頭を下げなかった。貴子は、そんな彼の目の前では、一度として取り乱したりしなかったし、罵声《ばせい》も浴びせかけなかった。ただひんやりと、冷たい風ばかりの吹く最後だった。

「もう少し、時間がかかるかも知れないですね」

闇を探るようにして車を走らせながら、貴子はつい呟いた。

「どうして、そう思う」

「愛情かどうかは、正直なところ分かりませんけど、でも、まだまだ、谷さんに思いが残ってることは、確かだと思いますから」

あの地味で目立たない雰囲気の直子が、谷が帰ってきた途端に、貴子への表情をがらりと変えたのが印象に残っている。あれは、明らかな嫉妬《しっと》だった。たった一瞬の夫の愛想笑いでさえ、彼女は許すことが出来ないのだ。それほど執着している。

「もしかすると、あのままずっと、いくのかも知れませんし」

「俺も、そう思うよ」

ため息とともに、滝沢の呟きが帰ってきた。

「少なくとも俺は、女房から別れたいって切り出されたときも、あんな風にはならなかったしな。へえってなもんでさ」

「――私も、です」

「それまで別れたいなんて、こっちから思ったことはなかったんだが、だからって、引き留めたいとも、それほどは思わなかった。まあ、子どもには可哀想《かわいそう》なことをしたとは思うがな」

「私も、あっさりしたものでした」

だから、別れることになったのだろうと、今になって思う。もしも貴子が直子の半分でも泣いたり騒いだり、あからさまに嫉妬して見せれば、事態は変わっていたのかも知れない。だが貴子は、そうしなかった。出来なかった。プライド云々《うんぬん》の問題ではないと思う。ただ、そこまで執着出来なかった。要するに、それほどの思いがなかったということなのかも知れない。

「ある意味では、羨《うらや》ましいですね」

「何が」

「あそこまで、真剣に思うことの出来る相手と巡り合えて」

「そうかね。要らん苦労だけが増えるんじゃ、ねえか」

「お父さんにしてみたら、困りますね」

最後に、滝沢は「まったくな」と呟いて、それから数分後、再びいびきをかき始めた。突き出した腹の上で腕組みをして、顎《あご》を上げ、ぽかんとした表情で、滝沢は眠りこけている。さぞかし長い一日だったことだろう。ルームミラーをちらりと覗いてから、貴子はCDプレーヤーのスイッチを入れた。

街はまだ、夜明けの気配さえ漂わせてはいない。漆黒の闇とジャズとは、よく似合う。こういうとき、煙草が吸えたら良いだろうにと、ふと思った。その方が格好がつくような気がする。

それにしても、いびきだけ聞いていたら、滝沢にとっての今日がどんな一日だったかなど、まるで分からない。どれほど嫌なことがあっても、苦々しい思いをしても、人はやはり眠り、そして、いかにも呑気《のんき》に聞こえるいびきをかいたりする。そうやって今年も一年過ごしてきたのだし、来年も、過ごすのだろう。その積み重ねが、やがて老いになる。

さっき、滝沢が妙にひと回り小さく見えたことを思い出して、何だか急に侘《わ》びしい気持ちになった。貴子などに、そう思われていると知ったら、滝沢はさぞかし不愉快に感じるだろうし、滝沢が老《ふ》け込もうがどうしようが、実際のところ、貴子には何の関係もないことだが、それでも切ないような気持ちになることは確かだ。弱々しく、情けない滝沢など、出来ることなら見たくはなかった。

　車がようやく都心にさしかかった頃、背後のいびきがぴたりと止《や》んだ。「どこだ、ここ」と、うめくような声がする。貴子が、もうすぐ滝沢の官舎だと応えると、滝沢は「何だって」と言った。

「そっち行ってもらっちゃ困るんだ。あっち、いってくれや、あっち」

「あっちって――」

「本部にさ。俺、そっちで寝るから」

「――でも、もう着くのに」

「いいから。これから帰って寝てたら、朝が妙なことになっちまうんだよ。どうせなら、そのくらいの気遣いが欲しいところだよな。女刑事さん」

　畜生。ちょっと寝ただけで、もう元の滝沢に戻っている。これでもわざわざ気を利《き》かして、起こしもせずに官舎まで送り届けようとしてやったのに、そういう貴子の心遣いを、ものの見事に踏みにじってくれる。貴子は、こんな皇帝ペンギンに、ひと晩もつき合った自分の人の好《よ》さに、心からうんざりしながら、黙ってハンドルを握り続けた。

「よう、ごくろうさん」

結局、滝沢を霞ヶ関の警視庁本部に送り届け、そのひと言だけを贈られて、ようやく吉祥寺の我が家にたどり着いたときには、空はまだ暗いものの、明らかに夜明け前の空気が漂い始める時刻になってしまっていた。眠るタイミングを何度か逃して、妙に目が冴《さ》えている。貴子は苛立《いらだ》ちながら部屋中の電気をつけて歩き、エアコンのスイッチを入れて、留守番電話に気がついた。携帯電話を持つようになってから、留守番電話にメッセージが残ることは、前にも増して少なくなったのに、今日は珍しくメッセージランプが点滅している。

〈ああ、滝沢。ああ、今日は色々とすまなかったと思って——ああ、また、そのうちに、改めて礼でもさせてもらうつもりですんで。ああ、まあ、忘年会は、間に合わないとして、新年会でも、また予定させてもらいます。ええ——ありがとうございました。ああ、それから、まあ、どうでもいいんだが、今は引っ越ししてて、あっちには住んでないもんで、今は、あのぅ、板橋なんだ。まあ、遠回りさせて、悪いことしました。じゃあ、またよろしく——〉

がらがらにかすれた濁声《だみごえ》は、最後にやっとというように「おやすみ」と言った。貴子は思わず笑ってしまいながら、そのメッセージを二度、繰り返して聞いた。本当に、図々《ずうずう》しいんだか細やかなのか分からない。それならそうと、言ってくれれば良かったのだ。変な親父《おやじ》。けれど、父親としては確かに少し可哀想だった。半ば、見てはいけないものを見てしまったような気分にもさせられた。貴子なら、父にあんな思いはさせたくない。

ジャージに着替え、バーボンをストレートで一杯だけ飲むことにした。香りの良い、濃い液体を喉《のど》に流し込むと、アルコールが徐々に身体《からだ》の中を駆け巡るのが感じられ、やがて、ようやく気持ちがほぐれていく。下からはホットカーペットで暖められ、エアコンの温風を心地良く感じながら、目をつぶると直子の部屋が思い出された。金をかけずに、それでも精一杯に飾り立てた部屋だった。まるで、これが幸せというものなのだと自分に言い聞かせているような部屋だと思った。それに比べて、この部屋の何とシンプルなことか。飾り物といったら壁のタペストリーと、サンタクロースの巨大な人形だけだ。

この妙にリアルな大きさの、老人の着せ替え人形を、昨年、他の衣装と共に買ってきた昂一は、今年もまたイタリアへ行っている。果たして今年は、どんな妙なものを探してくることかと、このところの貴子は、それだけを楽しみにしていた。彼とのつきあいも、少し長くなってきた。この先、結婚するようなことがあるのだろうかと、時折は考えるようにもなってきた。けれど、今夜のようなことがあると、やはり躊躇《ためら》ってしまう。今のままの方がお互いのためなのかも知れない。子どもでも産みたいのならともかく。

何度も追い払った睡魔が、ようやく戻ってきた。明日が当番の日で、まだ助かった。とりあえず午前中一杯は寝ていようと思いながら、貴子はのろのろとベッドに向かった。目をつぶると、やはり直子の家の、今度は手洗いが思い出された。

それにしても。

それにしても、いちばんの嘘《うそ》つきは、果たして誰なのだろうかと思った。滝沢の言う通り、谷悦夫という男は、もしかすると、もっと厄介な問題を引き起こすようなタイプかも知れない。よくも、あそこまで手の込んだ嘘がつけたものだ。女房をだますだけでなく、義父が刑事だと承知していながら、その義父を手玉に取るというのも、大した度胸だと思う。言い古した言葉だが、嘘つきは泥棒の始まり。やがて、その言葉が証明される日だって、来ないとは言い切れない。

だが、直子だって嘘つきかも知れない。あんな部屋に暮らし、懸命に良妻賢母を演じ続けることで、彼女はもしかすると、自分自身に対して、誰よりも嘘をついているのではないかという気がした。だから、その嘘がばれるのが怖くて、彼女はさらに部屋を飾る。おとぎの国を作り続ける。その結果、誰にも迷惑はかからないだろうが、彼女自身が、いちばん疲れ、傷ついていくのかも知れない。そう考えると憂鬱《ゆううつ》だった。

貴子に出来ることはなかった。せめて今頃、滝沢がまた大いびきをかいていてくれることを願うばかりだった。

嗤《わら》う闇《やみ》

I

少し前に雨が上がって、湿った夜気に、くちなしの香りが溶け出していた。コンクリートだらけの町に、その甘い香りはどこか不釣り合いな幻に思える。だが、闇《やみ》の中で目を凝らせば、道路脇《わき》の植え込みや、路地に置かれた鉢植えなどのそこここに、確かにぽつり、ぽつりと白い花が開いているのが見える。

七月に入って間もない晩だった。深夜になっても気温は下がらず、雨上がりだから当然とはいえ、少し動けばすぐに汗ばむほどに湿度が高い。マンションの非常階段を六階から下りてきた。地上まで降り立ったところで、階段の登り口をふさいでいた鉄《てっ》格子《ごうし》の扉を軽く押したら、何の苦もなくすっと開いた。そして今、音道貴子はアパートやマンションが建て込んでいる路地の片隅に立っている。深夜二時を回っていた。

おそらく犯人は、この非常階段を使って建物内に侵入したのだろう。逃走にも使用したかも知れない。本来なら外部からの侵入を防ぐために設置されているはずの扉がこうも無防備な状態で放置されていたら、ふとした出来心程度でもマンションへの侵入を企《たくら》む人間がいて不思議はない。これでは、いくら表玄関がオートロックになっていたところで、何の意味もありはしないということだ。

貴子はつい深々とため息をついた。切なくなるほど匂《にお》やかなくちなしの香りが胸の中に広がった。

――この匂いが一生、嫌いになるかも知れない。

そう思うと、今ごろは病院で治療と診察を受けているはずの被害者が哀れでならない。貴子には、彼女がさらされ、今も継続しているに違いない混乱と恐怖とが手に取るように分かると思った。

「どうでした」

靴音が近づいてきたと思ったら、知能犯担当の今井刑事が建物と建物の隙間《すきま》から顔を出した。これだけ建て込んだ界隈《かいわい》でも、街灯は思いのほか少なく、辺りは薄暗い。先に声をかけられなければ、貴子だって思わず身構えそうになるほどだ。

「そっちは？」

「とりあえず辺り一帯、見て回りましたけど、特に不審者が潜んでるっていうこともないですね。猫の子一匹、見ませんでした」

隅田川東署の場合、当番勤務の夜は各課から二、三人ずつしか人員が割り当てられない。だから、夜間に事件や事故が発生した場合は、本来の担当から外れていたとしても互いが協力し合ってことに当たる。

「まあ、無理もない、かな。通報があった時点で、もうずい分、時間が経過してたわけだし」

「で、音道さんが、ここに下りてるっていうことは――」

貴子は大きくうなずいた。

「やっぱり思った通りだったわ。とりあえず柵《さく》みたいなものはついてるけど申し訳程度。指一本で押しただけで、音もなく開いちゃった。まず、非常階段を使ったと考えていいと思う」

貴子の説明に、まだ二十代の刑事は「ふうん」とうなずき、それから突然、ぴしゃりと自分の首筋を叩《たた》いた。

「ちぇっ、虫除《よ》け持ってくればよかった」

顔をしかめて首のあたりを気にしている刑事は、さらりとスーツを着こなして、カメラつき携帯電話をいじっているのが大好きな、一見したところ、ごく普通のサラリーマンに見える青年だ。

すけど」

「確か、少し前にもなかったですか、この手のヤツ。俺が泊まりの日じゃなかったで

今井は、鉛筆のように細長いマンションを見上げ、また周囲を見回しながら「どっか、この辺で」と言った。

「二週間くらい前にね」

それ以外に、実は近隣の警察署管内でも、この春ごろからレイプ事件が連続して発生していた。被害者の女性はすべてマンションのエレベーター内、またはエレベーターホールなどで背後から襲われており、そのままナイフらしいものを突きつけられて自室に押し入られ、室内で暴行を受けるという手口だった。言うことを聞かなければ殺すという脅し文句も共通で、激しく抵抗した被害者の場合は顔や腹部を殴られているが、重傷を負うほどでもなく、ナイフで刺されるということもないことから、無論、生命《いのち》に別状もない。また金品なども一切、奪われていない。つまり、最初から強姦《ごうかん》のみを目的とした完全な性犯罪だった。

「ホシは一人と考えていいわけですよね」

「そうであって欲しいわね。こんなことする男が、同時に何人もいたんじゃ、たまらない」

今井は「そうですよね」とごまかすような笑みを浮かべた。

確か、届け出があっただけで既に四件か五件にはなっていると思う。つまり、下手をすればその倍か、それ以上の被害者が存在する可能性があるということだ。それがレイプ事件の面倒かつ恐ろしい部分だった。

レイプは決定的に犯罪が露見しにくい。目撃者が存在する可能性が低いこともあるが、被害者が恐怖と羞恥《しゅうち》、さらに自責の念などでがんじがらめになってしまい、警察に届け出る勇気と気力とを失う場合が多いからだ。それだけに被害者の実数を把握することは自体が困難だし、容疑者を逮捕する確率も低くなる。また、刑法一八〇条により、レイプは親告罪とされている。つまり、被害者が告訴しなければ、加害者が罪に問われることはない。そのために、結局は世間に公表されないままに、一度も社会的な制裁を受けることなく、涼しい顔をして世間を歩き回っているレイプ犯は、決して少なくないということになる。

「それにしても、よくないですね、このマンション。ほら、ゴミ置き場だって汚いし、その上、非常口の鍵《かぎ》が開けっ放しっていうんだもんなあ。これじゃあ、つけ入られたってしょうがないっていうか」

かちんと来た。貴子は、煙草《たばこ》を取り出そうとしていた若い刑事を「ちょっと」と呼んだ。今井は、いかにも無邪気そうに「はい」とこちらを見る。

「じゃあ、あなたは、被害者がこういうマンションに住んでたから、襲われたって言いたいの？　ゴミ置き場が汚くて、非常口の管理が悪いのは、被害者のせい？　だから、被害者に問題があるとでも考えてるわけ？」

貴子はわずかに首を傾《かし》げて、さらに今井の顔を睨《にら》みつけた。くわえかけた煙草を指先に挟んだまま、今井はたじろいだように顎《あご》を引いた。

「どんな理由があったって、レイプされていい理由なんて、女の側にはありゃしないのよ。帰りが真夜中になったって、夏だから薄着してたって、だから襲われていいっていうわけ？　罰が当たったとでも？　冗談じゃない、何の罰よ。そういう考え方があるから、被害者は表に出てこられなくなるんじゃないの」

「あ——すみません」

「いい？　あなた、まだ若いんだから、その辺の親父《おやじ》連中と同じ価値観なんか、絶対に持って欲しくない。だから言うのよ。この恐怖は、男には絶対に分からないものなの。一度受けた傷はずっと、下手をすると一生残るんだから。襲われて喜ぶ女がいるなんて、馬鹿《ばか》な妄想は抱かないで。絶対。レイプは百パーセント、男が悪い。誰が何て言ったって。どんな言い訳も通用しない、最低最悪の犯罪なんだから」

今井は、ほとんど怯《おび》えたような顔つきになり、ひたすら神妙に「はい」「はい」と繰り返す。その強張《こわば》った顔に気づき、貴子はやっと息をついた。

「――じゃあ私、これから病院に行ってくるから」

「あの、そしたら俺も――」

「あなたは、いいわ。言ったでしょう、被害者はショックを受けてる。実際、自分がどんなことをされたか、具体的なことを、犯人と同じ男に聞かせたいと思う?」

「犯人と同じなんて――」

「男であるという点では同じでしょう」

それだけ言うと、貴子は表通りに停めてある車に向かって歩き始めた。背後から「すげえ、怖え」というため息のような呟《つぶや》きが聞こえた。

――怖くて結構。

もう何年前になるか、貴子自身、もう少しでレイプ被害者になる寸前まで追い込まれたことがあった。身動きひとつ出来ず、抵抗のしようもなく、男に馬乗りになられて殴られた時には、一瞬にしてすべての気力が身体《からだ》中から抜け落ちた。自分の意志とは無関係に、抜け殻のようになってしまったのだ。あの時、助けが入ってくれなかったら、貴子はほとんど無抵抗のままで襲われていたに違いないし、その傷を生涯、背負って歩かなければならなかっただろう。実際にレイプされなかったとはいえ、いつまでも震えが止まらず、我ながら情けないほどに涙が流れたことを、今も生々しく覚えている。

あの時の経験があるからこそ、この手の犯罪に対して、貴子は自分でもそう感じるほど神経質になっていた。実際、暴行に遭った女性から具体的な被害状況を聞き出すのは、同性であっても辛《つら》いのだ。まだ半ば呆然《ぼうぜん》としているに違いない、ただ、取り返しのつかない傷を心と身体に負ってしまったことだけを感じて、その現実を受け容《い》れられずにいるはずの被害者は、本当なら顔さえ見られたくない状態だろうと思う。今回、警察へ通報してきたのは被害者本人ではなく、彼女を診察した医師だった。つまり、もしかすると今回の被害者も、自分からは警察に届け出るつもりはなかった類《たぐい》かも知れない。

「——分かりません。何も」

病院に向かうと案の定、まだ処置室にいた被害者は、ほとんど茫然《ぼうぜん》自失の状態で、そう繰り返すばかりだった。

川島宏恵《ひろえ》、二十八歳。浅草の洋品店に勤めているという。顔を数回殴られたらしく、口の端や右目の下に、痛々しい青黒い痣《あざ》が出来ていた。医師の診察によれば、さらに腹も殴られているし、脇腹と胸の辺りには、ごく小さいものの、刃物によると見られる痕《あと》があるという。おそらく、犯人がナイフなどで脅したときに出来た痕だろうということだった。だがそれは、刃による傷ではない。ナイフの峯《みね》の部分を押し当てたような印象の傷だということだった。その証拠に衣服を改めても、別段、切り裂かれているようなことはない。つまり犯人は、女性が出血するような外傷は極力、負わせないようにしているとも考えられる。意外に冷静なのかも知れない。

「殺すって、言われたんです——言うことを聞かなかったら、殺すって。おとなしくしていれば、生命はとらないからって」

宏恵は深夜一時過ぎに帰宅し、自宅マンションのエレベーターを六階で下りたところで、突然、背後から口をふさがれた。相手の男は革の手袋をしており、その革の匂いだけが強烈に印象に残ったという。もう片方の手は宏恵の胴に回されていた。背後からぐいぐいと押すようにしながら、男は宏恵の耳元で「鍵を開けて自分の部屋に入れ」と命じたという。抵抗のしようもなく、言われるままに自室の玄関ドアを開けると、男は彼女を羽交い締めにしたまま室内に入り込み、そのまま玄関先の暗闇の中で彼女に襲いかかった。

「——覚えてるのは、犯人が、玄関の鍵をかけた音、です。カチャッて——ああ、もう逃げられないんだって、思いました」

それでも必死に抵抗した結果、宏恵は顔を殴られた。一体、自分の身に何が起きたのか、まるで分からないまま、気がつけば男は既に玄関から立ち去ろうとしていた。再び施錠《せじよう》を解く音がして、外の明かりが射《さ》し込んだ。その明かりが、立ち去る男の姿を初めて照らした。

「どんな男でした?」

被害者は虚《うつ》ろな視線を漂わせたまま、力無く首を振る。覚えていないのか、覚えたくなかったのか。こうして繰り返し事実確認を行わなければならないことが、被害者の傷を深くする。それは、貴子にもよく分かっていた。

「どんなことでもいいですから、今、覚えてることを教えていただけませんか」

「——ほとんど、大きな影みたいにしか覚えてないんです。ただ——」

「ただ?」

男は、おそらく目出し帽らしいものを装着していたと宏恵は言った。また、全体に黒っぽい服装だったことと、羽交い締めにされたときの頬や腕に触れた感触から、ざらざらとした夏物のスーツのような印象を受けたという。体格などは分からない。最初、背後から襲いかかられた時の感覚では、中肉中背以上ではないかと思うが、確信は持てない。

「私、あの——これから、どうすれば」

おおよそのことを質問し、他に聞き漏らしたことはないだろうかと考えているときに、宏恵が呟いた。放心したような虚ろな表情のまま、彼女は宙を眺めている。貴子は片手に刑事手帳を持ったまま、そんな彼女の手に、もう片方の自分の手を重ねた。

「とりあえず明日は、仕事は休んでいただけませんか。こちらから鑑識のものがうかがって、証拠が残っているか調べなければなりませんし、それに、あのお部屋に、すぐに帰りたくもないでしょう。こんな時間ですが、たとえば信頼できるお友達に連絡して泊めてもらうとか、そんな方法を考えることもひとつですね。心当たりは、ありますか？」

「これ、本当のことなんですよね。私——レイプされちゃったんだ」

「——出来るだけ早く、忘れることだと思います。私たちの方でも、今後、何度も嫌なことを思い出させることのないように、極力、気をつけるつもりですから」

一見した限り、むしろ冷静なくらいに見える被害者は、ゆっくりとこちらを見て、そして、「でも」と呟いた。

「消えない、ですよね。こういう経験は」

「消さなきゃ。一日も早く。だって、あなたはどこも変わってないんですから」

色の白い、丸い瞳《ひとみ》が印象的な女性だった。汗と涙と、無論、消毒や治療のためもあったろう、痣が出来ていない部分でも、すっかり化粧が落ちた顔で、彼女は「でも」と繰り返した。

「私、汚れたんですよね」

「汚れてなんか、いないです」

「でも――私――」

深夜の病院には、生命の喘《あえ》ぎのようなものが溢《あふ》れている。この処置室の外でも、ひっきりなしに人が行き来しているらしい音が聞こえていた。どこかで赤ん坊が激しく泣いていた。

「秋に――結婚するはずだったんです」

その途端、虚ろに見えていた瞳が大きく揺れて、瞬《また》く間に涙が溢れ出てくる。川島宏恵は唇を嚙《か》み、「でも」と呟いた。

「許してなんか、くれないですよね、彼。私がこんなことになったって知ったら、絶対に――」

そう言ったきり、宏恵は肩を震わせて泣き始めた。貴子は思わず被害者の肩を抱き寄せていた。本当なら今、いちばん傍にいて欲しい相手を、呼ぶことが出来ないつらさ。誰よりも救いの手を差しのべて欲しい相手に頼れない苦しさが、痛いほど伝わってきた。

2

「ホシの顔を見てやりたいわ、本当。それで、一発ぶん殴ってやりたい」

前の幹線道路を、右へ左へと途切れることなく車が流れていく。「和定食」の盆を前に、貴子はちらりと前を見た。既に食事を終え、テーブルに肘《ひじ》をついてコーヒーを飲んでいた昴一が「おっ」と言った。

「すげえタイミングで俺を見るな」

何が、と言おうとして、その前の自分の発言を思い出し、貴子は思わず笑顔になった。頬のあたりの筋肉が緩んで、自分でも何時間ぶりかで笑ったと思った。

「で、結局、犯人の手がかりはなし、か」

小さな鮭《さけ》の切り身に箸《はし》を伸ばしながら、貴子はうなずいた。

「何しろ背後から突然、羽交い締めにされるわけだし、たとえ見えたとしても、ざらざらした感触の長袖《ながそで》の服に、革手袋に目出し帽でしょう？　それで、暗い場所で襲われて、相手はそのまま逃げるんだもの。靴も脱がないらしいし。今日、鑑識が入ると思うけど、きっと何も見つからないと思うわ。せいぜい、体液とか陰毛くらいで」

「靴も？　すげえ慌《あわ》ただしさだな」

被害者は茫然自失の状態で、時間の感覚などは分からなくなっていたらしいが、それでも、暴行の様子を聞き、被害者の帰宅時間や病院へ駆け込んだ時間などから考えれば、犯行全体にかけられた時間でも、およそ十分前後ではないかと思われた。

「たった十分のことで、人生を変えられちゃう人の身にもなってよ」

昂一は、うん、うん、とうなずいている。

「そうまでして女が欲しいのかしらね。だったら風俗の店にでもどこにでも、行けばいいじゃないねえ」

「まあ、きっと風俗ともまた違う、何かがあるんじゃねえか」

「何かって、何」

「刺激とか、快感、てヤツ？」

小さな椀《わん》の味噌汁《みそしる》をすすり、貴子はあからさまに顔をしかめた。

「最低ね、そんな男。死んじゃえばいいのに」

このところ月に一、二回の割合で、貴子が当番明けの日には、昴一が警察署の近くまで迎えにきてくれることがあった。そういう工夫でもしないことには、年を追うごとに多忙になる二人は、すれ違いが増える一方なのだ。最初のきっかけは確か、昴一が千葉の方に行く用事があって、ついでにドライブでもしようということになり、貴子をピックアップしたことだった。以来、仕事の都合がついてタイミングさえ合えば、昴一はこうして貴子を待っていてくれる。そして、署からそう遠くないこのファミリーレストランで朝食を取るのが、パターンになりつつあった。

「で、どうする、これから」

最後まで残しておいた卵焼きを頬張ったところで昴一に聞かれた。貴子は曖昧《あいまい》に首を傾《かし》げて見せた。身体《からだ》が、というよりも、今朝は精神的に疲れている。

「とりあえず、帰って休むか」

「昴一は？　どうするの」

「俺は仕事してるさ。することなら、いくらでもあるんだから」

それも少し味気ない気がする。何と答えようか迷っていたら、昴一が「それとも」と言った。

「刑事さんの寝込みでも襲うかな」

「馬鹿《ばか》。それでもレイプになるのよ」

「それは、相手が嫌がったら、だろう？　お前、嫌がるか？」

貴子は慌てて周囲を見回し、鋭く「やめてよ」と囁《ささや》いた。

「こんな朝っぱらから。どこで誰に見られてるか分からないんだから」

「じゃあ、もっとベタベタしようか」

昴一はほぼ一年中日焼けしたままの腕をぬっと差し出してきて、貴子の手を握ってくる。バイクに乗るときはもちろん、仕事中でも手袋をしていることの多い彼は、腕はよく焼けているのだが、実は手首から先はそう日焼けしていない。手袋か、と考えながら、その手をぴしゃりと叩《たた》いたとき、ふと、川島宏恵の顔が思い浮かんだ。

「――どうした？」

「婚約中だって言ってた。昨日の、被害者」

彼女は昨晩のことを、恋人に打ち明けるだろうか。結局、警察の方で手配してやったホテルの一室で、今ごろは一人で泣き続けているのではないだろうか。そんなことを考えると、再び憂鬱《ゆううつ》になる。自分だけが満ち足りた時間を過ごしてはいけないような気分になった。昴一もまた、複雑な表情でため息をついている。彼だって、以前の貴子の事件のことを思い出しているのに違いなかった。

「どっちみち、抱え込まなきゃならないな。色々と」

「たった十分程度のことでね。下手すれば一生」

貴子の場合は未遂に終わった。だから昂一に話すことも出来た。だが、それでも時間がかかったし、もしも本当にレイプされてしまっていたら、貴子はずっと、本当のことを言えなかったのではないかと思っている。下手をすれば、そのまま別れていたかも知れない。秘密を持つ苦しさと、相手に伝えられない狂おしさで、そうでもしなければ自分自身が押しつぶされそうになっていたと思う。自分の恋人なり妻なりが、他の男に犯された場合、その現実を男たちは自分の中でどう処理していくものかが、貴子には今もって分からない。

「まあ——早く捕まえてやれよ。な」

「そんなこと言われたって」

実際、どうしたらレイプ犯が捕まえられるのかが、まるで分からない。犯人は体液以外はほとんど証拠を残していない。容疑者が浮かび上がった場合には決定的な証拠になっても、体液だけでは外見から判断することが出来ないのだ。

「嫌な言い方だけど、次にホシが動くときに、目撃者が現れるとか、被害者が、もっと決定的な何かを摑《つか》んでくれるのを待つより、しょうがないのかも知れないわ」

帰りの車の中でもその話題が続いた。都内を東から西に抜けるだけなのに、道路は渋滞しており、意外なほど時間がかかった。こんなことなら、やはり高速を使えば良かったなどと言いながら、走っては止まる、その緩慢な繰り返しに身を任せるうち、徐々に睡魔が襲ってくる。うとうととまどろみ始めながら、貴子は「次に動くとき、か」という昂一の声を聞いた。

現在、隅田川東署では数件のひったくり事件と、両国駅前における暴行傷害事件、さらに隅田川河畔で寝起きしているホームレス男性への殺人未遂事件などを抱えていた。そこに、さらにレイプ犯に対する捜査が加わった。

「せめて、動きに規則性でもあればいいのにな。曜日とか、日にちとか、ジャイアンツが負けた日とか」

しきりに汗を拭《ふ》きながら、相方の玉城が忌々《いまいま》しそうに言う。梅雨明け前の蒸し暑い空気の中を、明確な手がかりもないままで歩き回る日々は、体力も精神力も激しく消耗する。いつしかくちなしの花も終わって、街は車の排気ガスと澱《よど》んだ空気の匂《にお》いだけになった。風向きによっては隅田川の方から、さらに生臭い匂いが流れてくることもある。降っても照っても、すべてが埃《ほこり》っぽく、くすんで見える街には時折、やけっぱちのように鳴く蟬《せみ》の声が、一つだけ響いた。

「要するに死角だらけなんだよな、この町は」

暑さには強いと言っているが、少しでも外を歩くと、見る間に汗を滴《したた》らせる顔を見ていると、こちらまで余計に暑くなるようだと、貴子は玉城を見るたびに思う。だが彼は慣れっこになっているらしく、その汗を拭《ふ》きながらも、言葉つきはいつもと変わらない静かなものだった。

「これじゃあ隣近所だって目配りのしようがない」

たとえば、と言いながら、彼はすぐ脇《わき》の建物に一歩入り込む。

「なあ。独特の空間だと思わないか」

貴子も一緒になって、ぽっかりと口を開けた薄暗いマンションに足を踏み入れた。途端に、ひんやりとした空気に変わって、少し息がつけた。

世間一般にオートロックのマンションが増えたとはいえ、都心のわずかな隙間《すきま》を埋めるようにして建てられた、いかにも個人所有らしいマンションの大半には、そのような防犯対策など、まるでなされていないのが現実だ。要するに構造が鉄筋になっただけの、単なるアパートのままでしかない。または、前回のレイプ事件の現場のように、一応はオートロックになっていても、見かけ倒しというか、非常階段などの処理がまずい場合も少なくない。つまり、さほど警戒していない。自分たちは安全な環境で暮らしていると信じている。

「まだまだ、日本の治安を信じてるわけだ。俺らを信じてるってことでもあるんだろうけど」

「こうなってくると、あんまりアテにしてもらっても、困りますよね。正直な話、追いつかないんだもの」

今、試しに玉城と足を踏み入れてみた建物の場合、小さな空間には郵便受けと階段があるばかりで、あとは不要なチラシなどを捨てるためか、ゴミ箱が設置されてはいたが、そこからは紙くずがあふれ出していた。片隅には何本もの傘が立てかけられている。小さな掲示板には中国語と日本語で書かれたポスターが、空き巣の警戒と不審者に対する通報を呼びかけていた。だが、我が隅田川東署が作成したそのポスター自体が、すっかり黄ばんで古びており、何の効力も持たなくなっているように見えた。全体に、いかにも行き届いていない、管理の杜撰《ずさん》さが感じられる。

「嫌な感じですね。狭いし、風通しも悪いし、本当に外から見えづらい」

「そのくせ部外者だって簡単に入り込める。この辺は、そんな建物ばっかりだ。生活様式が変わってるのに、その無防備さだけが、昔の下町感覚なんだ」

次に足を踏み入れてみたマンションには、「防犯カメラ作動中」というプレートが貼《は》られていた。確かにエレベーター脇の天井にカメラが設置してあったが、一見してダミーと分かる代物《しろもの》だった。この頃は高価な本物でなく、単に相手を警戒させるためのダミーを設置するところも増えてきたが、同じ偽物《にせもの》でも、もう少し本物らしく見えるものを選んだ方が良い。

「それに、ほら、これを見れば大体、その家の家族構成が分かる」

同じマンションの二階、三階へと上がっていくうちに、玉城がまた指摘した。玄関口付近に、ベビーカーや子どもの玩具《おもちゃ》、スケートボードやサッカーボール、またビールケース、傘、ゴミ袋など、あらゆるものを並べてある部屋が少なくない。生活が完全にはみ出しているのだ。ドア一枚隔てたところに、いかにも危険な犯罪者がうろつく可能性があることなど、まるで考えていないのに違いなかった。

「泥棒だけじゃなくて、レイプ犯も、こういうところを見るかも知れないですね」

額の汗をタオルハンカチで拭《ぬぐ》いながら、玉城がうん、うんとうなずいた。

「だろうな。表札見て、郵便受けの中を見て、ついでに玄関前の様子でも見れば、大体、察しはつくかも知れない」

「そういう目で見ると、この辺りはまるで宝の山だわ。おしこみたい放題」

路地から路地へと抜けながら、貴子は思わずため息が出た。

「確かに、これじゃあ警戒する的が定めきれないなあ」

貴子は情けない気持ちで玉城と顔を見合わせた。もともとレイプのような犯罪は、親告罪だから、という頭もあるし、積極的な捜査資料が少ないこともあって、捜査にあまり力が入れられない。

「――つまり」

玉城も微《かす》かに肩をすくめて、ため息をついて見せる。彼も貴子と同じことを考えている。要するに、少なくとももう一人、哀れな被害者が出て、その彼女が勇気を持って警察に届け出てくれるのを待つしかないということだった。

3

［警視庁から各局。隅田川東署管内、177《イチナナナナナ》の可能性。一一〇番入電中――男が、突然、襲いかかってきた――マルガイは女性。場所、東駒形《こまがた》一丁目。向かえる車、ありませんか］
つい、うとうととしかかっていた夜明け前に、その無線は飛び込んできた。机の上に開いたままの雑誌に、もう少しで額がつきそうになっていた貴子は、慌《あわ》てて姿勢を

戻し、懸命に神経を集中させた。１７７とは無線用の符牒《ふちょう》で強姦《ごうかん》を指す。
［隅田川東二、本所四丁目！］
［了解。隅田川東二、現場へ。場所は東駒形一丁目二十三付近。清澄通りから少し入ったところ。マンション内の踊り場で突然、男が襲いかかってきた。男は逃走の模様。通報者は付近を通りかかった男性とのこと。ＰＭ《警察官》の到着を待っています］
今夜あたり起こらなければ良いのだがと思っていたのが当たってしまったようだ。前回の事件から、既に二週間あまりが過ぎている。
［隅田川東二、現着。車を離れます］
パトカーと通信指令本部のやり取りが途切れたと思ったら、今度は所轄《しょかつ》署内で使用される無線が聞こえてきた。交番勤務の警察官も自転車で現場に向かったのだ。
［ええ――被害女性にあっては、顔を殴打された以外は、大きな外傷はない模様ですが、非常に興奮しておりまして、ええ――自分を襲ったのは、通報者の男性なのだと主張しております。どうぞ］
静まりかえっていた署内に微かなざわめきが起きた。貴子も誰ともなく周囲を見回して、眉《まゆ》をひそめた。どういうことだろう。犯人が目撃者を装《よそお》い、白《しら》を切ったということか。

［――通報者の男性は、運転免許証から氏名は羽場《はば》昂一。現住所、東京都世田谷区――］

一瞬のうちに全身が総毛立つのを感じた。

［ですが、本人は完全に否認しておりまして、ええ――自分は、ただこの建物の前の道を通りかかっただけだと主張しております］

貴子は思わず席を立ち、今夜の責任者に当たる都筑《つづき》課長を目で探した。遅かれ早かれ、刑事課が動くことだ。

「行ってきます」

課長は特段、驚いたような顔もせずに、微かに眉を動かして「おう」とうなずく。それから辺りを見回して、ちょうど部屋の片隅をのそのそと歩き回っていた今井を呼んだ。このところ、当番の日というと今井とかち合うことが多い。貴子と現場に向かうように言われると、今井はちらりと貴子を見、それからどこか間の抜けたような声で「はあい」と言った。

「よかったですね。今夜で、一連の事件も終わるかも知れないですね」

「――何で」

「だって、通報者のふりなんかしたって、逃げ切れるわけないんだから。その男をパくればいいんでしょう」

「――そんなこと、分からないじゃない」

「え、でも、音道さん、犯人は一人で十分だって言ってたじゃないですか。だったら、今日のヤツが捕まれば――」

ハンドルを握って現場に向かう今井を、助手席から睨《にら》みつけながら、貴子はほとんど地団駄を踏みたい気持ちになっていた。まったく。何だって、こんな時間に昂一がいなければならないのだ。それも、署の近くというのなら、まだ分かる。東駒形なんかに。

現場に向かう途中も無線の交信を聞いていたから、被害者の女性と昂一とが、それぞれ違うパトカーの中で事情を聞かれているのは分かっていた。だが実際に現場に到着して、両脇《りょうわき》を警察官に挟まれながらパトカーの後部座席におさまっている昂一を見ると、貴子はつい笑いそうになってしまった。外から見ただけでも、彼が相当に怒っているらしいことが分かる。だが、いかにも窮屈そうに肩をすくめて、ヒゲだらけの顔で目ばかりをぎょろぎょろとさせている姿は、情けない以前に、檻《おり》に入れられた熊《くま》か何かのようで、なかなか愛嬌《あいきょう》があると思った。

「平行線なんです。あっちの女性は、この男が自分を襲ったんだの一点張りなんですが、男の方も激怒しまして、そりゃあもう、ものすごい剣幕で。やっと落ち着かせたところなんですが」

パトカーの警察官の報告を聞く間も、貴子はガラス窓越しに昂一を見ていた。彼も貴子に気づいたらしく、わずかに顔を突き出して何か言いたげな顔をしている。貴子は、彼にだけ伝わるように小さくうなずいて見せた後、ひとまず被害者の名前と部屋番号を聞き、現場を確認することにした。

さほど大きくはないが、入り口にオレンジ色の石とアーチ型の銀色のメタルプレートがはめ込まれたデザインの、比較的新しい様子の小綺麗《こぎれい》なマンションだった。もちろんオートロックで、ガラス張りの扉も二重になっている。一枚目の扉を抜けると、各戸の郵便受けと宅配便用の受領ボックスが設置してあり、さらにオートロックの解除機能を持ったインターホンがあるというつくりだ。反対側に管理人室らしい小さなガラス張りの窓はあるが、常駐していないのか、こんな時間だからか、今はカーテンが引かれている。

「このマンション、何階建てだった？」

「十二階、ですね」

貴子は、まず郵便受けの数が意外に多いことに驚いた。数えてみると七十以上になる。つまり、平均すればワンフロアーに六世帯は入っている計算になる。被害者の部屋は九〇三号室。郵便受けには「*Tsutsumi*」という文字だけが記されていた。

「こんなに人が住んでるようには、見えないわね」

「間口が狭いだけなんじゃないですかね」

今井がオートロックで施錠《せじょう》されたドアの向こうをのぞき込むようにしながら言った。

続いてマンションの裏手に回り込んでみる。ゴミ置き場は施錠の出来る物置タイプのものがきちんと設置されていたし、さらに非常階段につながると思われる扉も、外からは開かないようになっていた。

「暗証番号でも知らない限りは、つまり、誰かの後について、ドアが開いた瞬間を狙《ねら》って入るしかないわけですね」

「だとすれば、明日にでも聞き込んで回ったら目撃者が出るかも知れない」

来たときとは逆の方向から正面に戻ろうとしてマンションの脇に回り込むと、正面玄関寄りに、ぽっかりと口を開けている空間があった。覗《のぞ》いてみると、十坪ほどの広さはあるかと思われる自転車置き場だった。懐中電灯で中を探ってみたところ、奥に鉄製の扉がある。足元を照らしながら扉に近づき、貴子はドアノブに手をかけた。大して期待はしていなかったのに、ドアは予想を裏切って簡単に開いてしまった。そして、その先にはマンションの入り口ホールが開けていた。隣から、今井が「なんだ」と呟《つぶや》いた。

「表も裏もきっちり守ってたって、ここが駄目なら、どうしようもないじゃないですか。ねえ」

「部外者は立ち入らないと思って安心してるんだろうけど。自分たちに便利だっていうことは、泥棒にも便利なのよね」

さらに被害女性が住んでいるという九階まで上がってみる。おそらく各階とも同じだろう、エレベーターを下りて各部屋の前まで続く廊下はおそらく意図的に凸凹の造りになっていて、まるで見通しがきかない設計になっていた。これでは、果たしてワンフロアーに何世帯が入っているかも分からないくらいだ。しかも、廊下には埃除《ほこりよ》けのようなマットが敷き込まれていて、靴音を聞こえなくさせている。だからだろうか。この廊下でついさっき、事件が発生したというのに、物音を聞きつけて顔を出すような住人の姿さえ、見受けられない。

「何か、ひんやりしてるなあ」

今井までが、辺りを見回しながら呟いた。

「俺、分からないですよ、こういうところに住みたいって感覚」

「誰も彼も、住みたくて住んでるとは限らないんじゃない？」

とにかく、これだけ人口の密集した地域に建つ集合住宅でありながら、住人同士のプライバシーは極力守られ、他人の雑音からも守られる工夫がなされているというこ
となのかも知れない。それでも、自分たちの生活にはそれなりに彩《いろど》りを添え、潤《うるお》いを持たせたいと皆が思っているのだろう。今、ひっそりと静まりかえったままのそれぞれの扉の前には、鉢植えの花あり、ゲートボールのスティックあり、古新聞の束ありで、中にはタイヤまで積み上げてある家があった。

そんな中で九〇三号室の前には、一本の、ピンク色の傘だけが立てかけられていた。ドアには木製のプレートがかけられている。それを眺めて、貴子はつい舌打ちをした。高原の観光地か何かで買ってきたような牛のイラストが入った可愛《かわい》らしいデザインのプレートには、一つずつ貼《は》りつけた文字で、「*Welcome*・つつみいくこ」と書かれていた。この無防備さが結局、どんな相手を「ウエルカム」と受け入れる結果になったのか。

「下がオートロックだから、油断したんでしょうね」

今井までが「だめじゃん」と言った。さらに、非常階段につながると思われる扉を開いて、貴子は今度は、思わずため息をついた。

目と鼻の先に、隣のビルの屋上が、まるでこのマンションの付属物のように広がっていた。その気になれば、男性なら簡単に跳び移れる距離だ。さらに、その隣のビルのベランダへも。その横に立つビルの階段の踊り場へも。これなら、どんな方向へでも逃げられる。また、階段の踊り場に立つと首都高速道路の街路灯の列が見えた。弱々しい風に乗って、ごとん、ごとんと、車の通過する音が微かに響いてくる。ここから首都高速六号線の駒形入り口とは目と鼻の先だ。つまり、車を利用すれば、瞬《また》く間に何キロも先まで逃走できることになる。

「意外にきっちり考えてる人間なのかも知れないわね。侵入と逃走に関しても、それなりに下調べをして」

「それで通報者のふりをするなんて――ちょっと、変ですかね」

エレベーターで階下に降りる間、今井も少し考えを変えた様子だった。もちろんだ。昴一は自分の仕事以外で、そんなに用意周到に物事を考えるタイプではない。

「とりあえず、署に戻るとして――私は女性の方から聞きますから、今井くん、通報者の話を聞いてくれない？　理由はともかく、とんだとばっちりを受けただけの、善意の人かも知れないんだから、話し方に気をつけて。怒らせないように」

今井はいかにも張り切った顔で「はい」とうなずいた。被害者が乗っているはずのパトカーに向かいながら、貴子は、もう一度、ちらりと昂一の方を振り返った。可哀《かわい》想《そう》に。これで、彼の警察嫌いにはますます拍車がかかるに違いなかった。

「大変でしたね。怖かったでしょう」

パトカーの中で一人にされていた被害者の隣に乗り込むと、貴子は早速、彼女の方を向いた。二十四、五歳というところだろうか。薄暗い中でも明らかに強張《こわば》った表情をしており、ほんの一瞬だけ貴子の方を見て、すぐに視線を外した。手にはハンカチを握りしめている。

「お怪我《けが》は？　病院へは、行かなくても大丈夫ですか？」

小さく何度も首を振る。女性は、長めの髪を後ろでひとつにまとめていた。白っぽい半袖《はんそで》のブラウスにグレーのスカート。こんな時間に帰宅する女性だから、てっきり水商売か遊び人かと思いこんでいたが、一見すると貴子たちの仲間のようにさえ見えなくもない。だが、そのブラウスは今、無惨にいくつかのボタンが引きちぎられた状態で、肩にも黒い汚れがついていた。地域課の警察官も乗り込んできて、パトカーは静かに走り始めた。昂一の乗った車も続いているはずだ。まさか、こんな形で恋人の職場をのぞくことになろうとは。

「少し落ち着いてから、お話を伺わせてくださいね」

すると女性は再び首を横に振った。普通、こういう場合はうなずいてもらえるはずだと思っていた貴子は、小さな違和感を覚えた。

「お帰り、遅かったんですね」

「——警察署で何を聞かれるんですか」

「できるだけ、手短に済ませるようにしますから」

「私、もう——お話しすること、何もないですから。部屋に帰らせてください」

既にパトカーは走り始めているというのに、さっと顔を上げたときの女性の顔は、血の気も失《う》せたままで、ひどく思い詰めて見えた。貴子は「お気持ちは分かりますが」と言いながら、とにかく少しでも話を聞かなければならないのだと繰り返した。彼女ももちろんだが、とにかく昴一を早く解放してやらなければならない。「つつみいくこ」という女性は、そのまま口をつぐんでしまった。

警察署に到着してから、貴子は改めて被害者の女性と向き合った。被害者は堤育子と名乗った。二十六歳。東西新聞東京本社の文化部に勤めているという。

「新聞記者なんですか」

「まあ——そうです」

「すごい。優秀なんですね」

仕事柄、貴子も新聞記者と接する、または見かける機会は少なくない方だと思っている。最近は社会部にも女性記者が増えてきて、男性に混ざってメモを片手に歩き回る姿をよく目にするようになった。そう言われてみれば、堤育子という女性の雰囲気は、確かに新聞記者らしいとも思えた。地味ではあるが知性を感じさせる服装で、華美なところもない。実際の年齢よりも少し子どもっぽく見えるのは、その服装の地味さと、素顔に近い飾り気のなさから来ているのかも知れない。その育子の右の頬と額には、それぞれに赤黒い痣《あざ》のようなものが出来ていた。

「じゃあ、今日もお仕事で遅くなられたんですか」

育子は仕方なさそうな顔で小さくうなずく。

「こういう日は、多いんですか。やっぱり不規則なんでしょうか。大変なお仕事なんですね」

「あの——私、早く帰りたいんです。少しだけ休んだら、すぐに仕事に出なければならないんですけど」

堤育子は、どこか思い詰めたような表情でこちらを見ないままに言った。細い首の脇が、どく、どく、と脈打っているのが見える。彼女は唇を噛《か》み、同時にハンカチを握りしめる手にも力を込めてうつむいている。

「すぐに？　これから？　大丈夫ですか」

「仕事ですから」

「——では、簡単にうかがいますね。状況をお聞きする前に、まず、あなたを襲ったのが先ほどの通報者だという、そのことは間違いがないんでしょうか」

　すると育子は指先が白くなるほどに力を込めてハンカチを握りしめたまま「そうですけど」と呟いた。貴子は一瞬、怒りのこみ上げるのを感じ、急いで深呼吸をしなければならなかった。なぜ、そんな嘘《うそ》をつく必要があるのだ。必ず理由が存在する。それを考えなければならない。

「分かりました。間違いなく先ほどの人が、あなたを襲ったんですね」

「もう、何度もそう言ってるじゃないですか」

「——では、襲われたときの状況を聞かせてください。まず場所は、どこだった、でしょうか」

「うちのマンションの、エレベーターを下りたところで」

「お住まいの階ですか。九階ですね。少し詳しく、話していただけますか」

「——部屋に向かって歩きかけたら、突然、後ろから羽交い締めにされて。『そのまま部屋に入れ』と言われて——」

一瞬、頭が真っ白になりそうになったが、堤育子は無我夢中で背後の相手に肘鉄《ひじてつ》を食らわせ、持っていたバッグを振り回したという。だが男は彼女が悲鳴を上げるより先に、その顔を殴りつけ、再び後ろ向きにさせると背後から女性の口をふさぎ、額を壁に押しつけるようにして、これ以上暴れると本当に殺すぞと、やはり耳元で囁《ささや》いたのだという。左の脇腹《わきばら》には刃物らしい感触があった。だが育子は、今度は口をふさがれていた男の指を力一杯嚙み、相手が怯《ひる》んだ隙《すき》に、まだ同じ階に止まっていたエレベーターに飛び乗ったのだそうだ。

「思いっきり、嚙みました？」

「――手袋の上からですけど」

「すごい勇気だわ。どこかで護身術のようなものを習った経験がおありなんですか」

「――半年くらい前に、痴漢の撃退法ということで、取材で」

「それが役に立ったんですね。よく落ち着いて、そこまでされましたね」

心から感心して言うと、だが彼女は何度も唾《つば》を飲み込むようにしながらまた首を振る。とにかく自分の身を守ることが出来たのだから、もう少し安堵《あんど》の色を見せても良いのではないかと思うのに、彼女は一向に表情を和らげなかった。

「そんな嚙み痕《あと》は残ってないですよ。右手にも左手にも」

飲み物を持ってくるふりをして別室で事情を聞いている今井に確認をとると、一旦《いったん》、取調室に戻った今井は、何秒もたたない間に戻ってきた。開かれた扉の隙間から、相変わらず目をぎょろぎょろとさせた昴一の姿が見えた。当たり前だと思いながら、貴子は大きくうなずいた。

「よかったです、音道さんに怒らせないようにしろって言われてて。すげえ、ぶっきらぼうな男なんですよ。結構、ムカつくタイプっていうか。『日本の警察の目は節穴なのか』とか、言うんですからね」

貴子は思わず笑いそうになりながら、若い今井の二の腕をぽんぽんと叩《たた》いた。

「彼は正義の味方のつもりだったんでしょう。それが、こんなことになって怒ってるのよ。せいぜい、なだめてやんなさい」

何も知らない今井は、相変わらず「はあい」と間延びした声を出した。

「堤さん、嘘はよくないわ。あの人の指には、誰かに噛まれた痕なんて、何も残ってないですよ」

今度は都筑課長にも立ち会ってもらうことにして、改めて堤育子と向き合うと、彼女はわずかに動揺を見せたものの、ばれたか、とでもいうような表情になり、意外なほど素直に嘘を認めた。

「改めて確認しますね。あの人はあなたを襲った犯人でも何でもないんですね？」

「――関係、ない人です」

やれやれ、だ。分かってはいたが、力が抜ける。

「あの人を、知っているんですか？」

「知らない人です。あの人は――私がマンションから飛び出したら、ちょうど前を通りかかっただけの人です。それで私、思わず『助けて』って」

「だったら、つまりあの人は、あなたを助けようとして、一一〇番通報までしてくれたんですわな。その人を、お宅さんは、無実の罪に陥《おとしい》れようとした、と。見も知らぬ人を」

貴子が言いたいことを、先に言ってくれたのは課長だった。

「ちょっと、あんた、何、考えてんですか。そりゃあ、災難にあったのは気の毒だけどね、それとこれとは、話が別だよ」

「――私はただ、何が何だか分からなくて」

「そういう言い訳は、ちょっとなあ。普通に考えたって、筋違いだと思いませんか。妙な話でしょうが。あんたは最初っから、あの人が自分を襲ったって言い張ったって聞いてるよ」

「言い張ったっていうか――」

「だって、見間違ったわけでも、何でもないじゃないか。完全な濡《ぬ》れ衣《ぎぬ》を着せたわけだろう？」

「それは――」

「前々から恨みでも、あったっていうんなら、まだ話は分からないじゃないわな。この機会に陥れたかった理由でもあるとか。だけど、知らない人なんだろう？」

堤育子は、ただ力無くうなずくばかりだった。

「いいですか。これは重大な名誉毀損《きそん》になるよ。警察の捜査だって攪乱《かくらん》したってことになる。これが裁判なら偽証罪だ。第一、そんな嘘を我々が見抜けないとでも思ったかい。ええ？　あんた、それでもブンヤさんかい」

課長の口調は畳みかけるようで容赦がなかった。堤育子の様子は、貴子と向き合っていたときとは異なり、明らかに緊張の度合いを高めて見えた。怯《おび》えている。忘れてはならない。彼女はレイプ未遂事件の被害者だった。

「怖かったんでしょう。ねえ？　だから、混乱していたのかも知れないですよね。でも、堤さんが本当のことを言ってくれないと、あなたをこんな目に遭わせた犯人を、余計に捕まえられなくなるんですよ」

「とにかく、あの人に謝った方がいい。下手をすりゃあ訴えられても仕方がないんだよ。男にとっては、痴漢とか暴行魔とか、そんなものに間違われるくらい不名誉なことはないんだから。俺ら、男同士から見たってね、そんなことをする野郎は、下の下なんだ」

堤育子は、すっかりうなだれて、消え入りそうな声で「すみません」と繰り返すばかりだった。

数分後、いかにも憮然《ぶぜん》とした表情の昂一が、今井と共に貴子たちのいる部屋に入ってきた。貴子は彼に小さく微笑《ほほえ》みかけながら、育子の肩に手を置いた。

「ちゃんと、謝りましょう。そうすれば、きっと訴えたりはしないと思うわ。もともと一一〇番してくれたくらいに親切な方なんだし、あなたの気持ちだって、きっと分かってくださるだろうから。ねえ？」

堤育子はうなだれたままで立ち上がり、身体《からだ》を直角に折って頭を下げた。「ごめんなさい」と小さな声が聞こえた。床に、小さな雫《しずく》がぽとぽとと落ちた。

4

「ああ、久しぶりに頭に血が上った。まったく冗談じゃねえっていうんだ」

いつもと変わらない朝が来て、やがて勤務時間を終え、既に行きつけになった感のあるファミリーレストランで向き合うと、貴子はつくづく笑ってしまった。既に峠を越えたとはいえ、怒りの嵐《あらし》はまだ完全に過ぎ去っていないらしく、昂一は相変わらず憮然とした顔で口元を歪《ゆが》めている。

「たまに人に親切にすると、こんな目に遭うのか」

「あんな時間に、あんなところをうろついてるのが悪いのよ」

「そんなの俺の勝手だ。俺は行きたいときに行きたいところへ行くんだから」

「まあ、そうね」

「たまたま、お前がいてくれたからいいようなもんの、そうじゃなかったら下手すりゃ今ごろ、俺は留置場初体験を味わってなきゃならなかったんだぞ」

「あのくらいの嘘《うそ》は、誰だって簡単に見抜くってば」

だが昂一は、いかにも疑わしげな顔で「そうかあ？」とこちらを見る。

「お前は俺を知ってるから、そう思うだけだろう。最初に駆けつけてきたパトカーの野郎も、自転車のおまわりだって、もう皆、いかにも俺が犯罪者って顔つきしやがって、妙に人の腕とか摑《つか》んでいやがったぜ。それも両脇《りょうわき》から」

「あら、そう」

「どいつもこいつも、簡単にあんな娘っこの言うこと信じやがって」

「だって普通、そんな嘘をつくとは思わないもの。それに、向こうは若くて弱々しい雰囲気の女の子で、こっちはヒゲもじゃのおっさんなのよ。誰がどう見たって、こっちが悪者に見えるわよ」

「そうやって、人を外見で判断しちゃいけませんて、ガキの頃、習わなかったか。それを何だ、あのおまわりどもは。すぐさま、『何か身分を証明できるものは』とか言いやがって」

「それは普通の職務質問でもすることなの」

「そんなことされる筋合いは、俺にはないっ」

まあまあ、となだめているところにウェイトレスが朝食を運んできた。久しぶりに怒ったせいで腹が減ったと、昴一は朝から焼き肉丼《どん》セットのライス大盛りを注文した。貴子は焼き魚定食の納豆つきだ。

「とりあえず、留置場で朝ご飯を食べずに済んだんだもの。よかったじゃない。ね？」

割り箸《ばし》に手をのばしながら、貴子はいつになく愛想良く微笑《ほほえ》みかけてみる。だが昴一は鼻息も荒く、もう焼き肉丼をかき込み始めていた。

「まさか、こんな形で取調室ってヤツを体験するとは思わなかったよ」

「私だって驚いたわよ。無線で昂一の名前を聞いたときには、冗談抜きに飛び上がりそうになったんだから。それにしたって、どうしてまた、あんなところにいたの」

「コンビニを探してたんだ。高速を駒形で下りるだろう？　あの辺だと意外に車が停めやすいから。ちょっと腰を伸ばしたかったし、お前を待ってる間にひと眠りしようと思って、その前にビールでも飲もうかと思ったんだけどな。コンビニは見つかんねえし、あんなことにはなるし」

「それで、本当に、他に人影とかは見なかった？　全然？」

「見てりゃあ、すぐに言うさ。俺だって必死で思い出そうとしたんだから。だけど、見てねえんだよな。誰も」

　やはり、犯人はマンション脇の自転車置き場か、または非常口から逃げたのかも知れない。貴子はわずかに身を乗り出して、「ねえ」と昂一の顔をのぞき込んだ。

「ところで、迎えに来てくれてる日って、昂一、いつも、あんな時間から来てるの？」

「たまあに、だ。この分だと、ちょっと起きられそうにないかなと思うようなときに、な」

「夜中のうちに？」

「思いついたときに。ほら、俺はどこででも寝られるたちだし」

そんな無理をさせているとは思わなかった。元々早起きの昂一のことだから、朝、世田谷の自宅を出て、こちらに来てくれているのだとばかり思っていた。貴子は急に申し訳ない気持ちになり、また、そんなことにも気づかずにいた自分の呑気《のんき》さというか鈍感さに腹立たしさを覚えた。

「何、膨れてんだよ。そんなことより、なあ。何であの子は、嘘をついたんだ？」

「知らない」

「知らないって言い方、あるか。調べろよ」

「だって、本人が何も言わないもの」

「何か、隠してると思わねえか？」

「隠す？」

「あの子、何て言ってたんだ。自分を襲った奴《やつ》については」

実は、それについては貴子も引っかかっていた。前回の犠牲者とは異なり、今回の被害者は一度習っただけという護身術を使って、レイプ犯を撃退するだけの冷静さと度胸を持ち合わせていた。それなのに、改めて事件について聞こうとすると、堤育子という女性は「覚えていない」「見ていない」の一点張りだった。

「だけど、そんなはずないと思うのよ」

貴子自身があのマンションを見てきたから分かることだ。育子が襲われたという、エレベーターホールを出て各戸に通じる廊下は、きちんと照明がついていたし、エレベーターの扉自体もガラス張りで、同じ階にエレベーターが止まったままだったというのなら、そこから洩《も》れてくる照明だけでも相当に明るくなったはずなのだ。

「犯人と小競《こぜ》り合いがあったわけだし、彼女は正面から顔を殴られている。その時に、まるで相手を見てないとは思えないのよね」

「ショックで忘れたのかな」

「何もかも？　そんなこと、あると思う？　相手の手を噛《か》んだことまで覚えてて」

昨夜の出来事を改めて考えながら、貴子がぽつぽつと箸を動かしている間に、気がつけば昂一は、焼き肉丼をすっかり平らげて、どこか物足りなそうな顔でため息をついている。

「分かんねえなあ、女って」

「同性でも、そう思う」

「だけど、悪意があったって感じじゃあ、ねえんだもんな」

「そんな筋合いもないしね」

「だとすると——」

ウェイトレスが昂一の前の盆を下げていく。貴子は口から伸びる納豆の糸を箸で切りながら、昂一の視線を受け止めていた。

「私も、それを考えてた」

「聞いたか、そのこと」

被害者が咄嗟《とっさ》に嘘をついた理由。それは、堤育子は犯人をかばおうとしたからではないか。なぜ。つまり、被害者は、犯人を知っていたのではないかということだ。

「何で、聞かねえんだよ」

「だって、とにかく知らない、覚えてないの一点張りなんだもの」

再びウェイトレスが、今度はチョコバナナサンデーを運んできた。見るからに甘そうなデザートを前にして、昂一はにやにやと笑った。こんな昂一を見るのは初めてだ。だが、腹が立ったときには甘いものを食べるに限るのだと彼は言った。

「ひと口、やろうか」

「いらない。納豆と合わないもの」

まだ箸を動かしながら、貴子は、まるで挑みかかるようにチョコバナナサンデーに取り組む昴一を眺めていた。素人《しろうと》の昴一でも思いつくことだ。確かに、堤育子は何かを隠している可能性があると思う。そして、彼女を襲った男が、一連の事件の犯人と同一だとすれば、つまりは彼女の身辺を洗えば良いということになる。

そこまで考えると、当番明けでありながら、また署に戻って仕事をしたい気分になった。自分よりも先に、誰かに動き出されたりしたら、それこそ悔しい気もする。ここは昴一のためにも、自分が真犯人を捕まえたい。

「なあ、海に行こうか」

ところが、瞬《また》く間にチョコバナナサンデーを食べ終えた昴一は、口元を拭《ぬぐ》いながら突然、言い出した。

「こんなときは、どどーんと打ち寄せる波でも見て、すっきりしてさ」

「だって、昴一だって寝てないんじゃない」

「砂浜で寝るよ」

「水着も何も持ってないし」

「何も、泳がなくたって、いいじゃねえか」

「せっかくなら海に入りたいわよ。今年、初めてだもの」

「じゃあ、どっか途中で買えばいいさ。安物の、趣味の悪いヤツでも」

「そんなの――」

「いいんだ。お前が着れば何でも似合うって」

それだけ言うと、昂一は「ちょっと手洗い」と言って、席を立った。その、のっそりとした後ろ姿を眺めながら、貴子は、何ともいえない気分になった。外見に似合わず、実は細やかな部分のある昂一のことだ、それなりにショックを受けているのに違いないと思う。かといって、堤育子を責めることも出来ない気分なのだろう。平静を装《よそお》ってはいるが、何とか早く気分転換を図ろうとしているのなら、今日のところは、貴子も仕事から離れるべきだった。

「彼女の身辺を、洗ってみるわ」

ハンドルは貴子が握ることにした。海に向かう道を走り出しながら、口を開くと、助手席から「ああ」という返事が返ってきた。

「彼女がどのくらいの力で噛んだか分からないけど、思い切りっていうんなら、革の手袋の上からでも、それなりに痣《あざ》くらい出来てるはずだし」

「右手にな」

思わず「え」と隣を見た。シートを倒し気味にしていた昂一が「前、前」と注意を促す。

「何で右手なの？」

今度は昂一が「え」と言った。

「頼むよ、刑事さん。俺でも気がついたことを見落とさないでくれよ。あの子、こっちのほっぺたに痣作ってたじゃないか」

一瞬のうちに、貴子は堤育子の顔を思い浮かべた。彼女は向かって左側、つまり顔の右側に痣を作っていた。さらに、彼女は「左」の脇腹に刃物らしいものが当たったとも言っていた。つまり犯人は左利《き》きの人物だということになる。

「どうしても認めてもらえないとき、俺、そのことを言おうと思ったんだ。俺は右利きだからな、誰かを殴ったり、脅すとしたら当然――」

「なるほど、そうか」

ほんの少し、目の前の霧が晴れた気分だった。貴子は目まぐるしく、前回の被害者の顔を思い浮かべた。川島宏恵はどうだったろう。目の下に痣が出来ていた。あれも確かに、右目だった。

「昂一、すごい」

急に、気分が浮き立つようだった。つい笑顔になって隣を見ると、昂一はまた「前、前」と落ち着かない声を出した。

「仕事したいと、思ってるだろう」

「まあね」

「駄目だぞ。今日は絶対、俺とずっと一緒にいろ。また当分、こういう日はないんだから」

そういえば来週から、昂一はまたイタリアへ行くことになっていることを思い出した。今度はどれくらいで帰ってくるのだろうか。その間は再び、メールだけのやり取りになる。

「本当、すぐに疑いが晴れてよかった。下手したら、イタリアどころじゃなくなってたかも知れないもんね」

「今日ほど、刑事とつきあっててよかったと思ったことはねえな」

大あくびと共にそう言って、昂一はシートを倒した。相手が刑事だからこそ、あんな時間に出かけてこなければならず、とんだ濡《ぬ》れ衣《ぎぬ》まで着せられたのにと思うと、やはり彼が可哀想《かわいそう》に思えた。そうでなくとも最近、こんな気分になることがある。時折、昂一という存在自体が妙に切なく、可哀想に思えるのだ。それが、どういうことなのか、よく分からない。これが愛《いと》おしさというものなのか、つまりは彼に対する愛情が深まっているからなのか、または昂一自身に、どこか哀れを誘う要素があるからなのか。とにかくこんな感覚は、以前、結局は離婚することになった男と恋人同士だったときにも、その前にも、貴子は経験したことがなかった。

5

連続レイプ犯と断定するには足りないものの、とにかく堤育子および川島宏恵を襲った人物は左利《き》きの可能性が高く、その右手に嚙《か》み傷を負っている。また、本人は断固として証言を拒否してはいるが、堤育子の顔見知りではないかとも推測される。そこから容疑者を絞り込むことが出来そうだと主張して、貴子は玉城と共に専従で捜査にあたることになった。

「だが、気をつけてくれよ。ヤマがヤマだけに被害者の立場も考えて、十分に慎重に動かんと」

被害者のついた嘘《うそ》に関しては相当に厳しい言葉を投げかけた都筑課長だったが、レイプという、大半の被害者が決して人に知られたくない、公《おおやけ》にしたくない要素の強いものだけに、そう注意を促すことは忘れなかった。

「厄介なもんだなあ。被害者なのに、コソコソしなきゃならないとは」

実際に捜査に動き出すと、玉城もため息混じりに言うくらいだった。聞き込みに歩く。手帳を示す。すると相手は必ず「何かあったんですか」と聞いてくる。被害者の身辺を洗っている場合、だが、「彼女がレイプされまして」とは、絶対に言えないのだ。連想さえ、させてもまずい。だから適当な嘘をつくことになる。噂《うわさ》ですが、他の捜査で歩いているついでに小耳に挟みまして、などと前置きをした上で、ストーカー被害に遭っているらしいと言うのがせいぜいだ。

「勤務態度も良好の、真面目《まじめ》で優秀な社員ですが。警察が、彼女に関してどういうご用です」

しかも、堤育子の勤務先は新聞社だ。総務に立ち寄っただけでも、相手は逆にこちらを試すような目つきになり、怯《ひる》むことなく聞き返してくる。やりにくいこと、この上もない。それでも捜査上の秘密とか、色々な言葉を使って喋《しゃべ》るのは玉城の役目だった。玉城は、饒舌《じょうぜつ》という印象はないのだが、弁が立つ。貴子などから見ると、さすがに国立大学を出ているだけのことはあると思う部分が随所に見られた。こんな男がどうしてノンキャリアなのか不思議なくらいだ。

まず、容疑者像として思い浮かぶのは、堤育子の交際相手か、かつて交際していた相手というところだろう。だが数日間の尾行と、困難ななりに聞き込みを続けた結果、堤育子には現在の時点で、特別に交際している男性はいないらしいと判断された。

「じゃあ、以前の交際相手とか」

だが、堤育子は出身大学も東京ではなく、さらに昨年まで地方支局に勤務していたという話だった。無論、遠距離恋愛でもしていたとか、または当時の交際相手も東京に来ているというのなら話は別だろうが、普通に考えて、たとえ地方支局時代に交際していた相手がいたとしても、その男がわざわざ上京して、しかも連続レイプ犯になっているとは考えにくかった。

一方、一連の犯行が同一人物によると考えた場合、では、その犯人は堤育子以外に襲った相手もまた顔見知りだったのか、という疑問が浮かんでくる。そうなると被害者同士が知り合いの場合もあることが推測されたが、川島宏恵を初めとして近隣の警察署管内で起きた事件の被害者は、いずれも互いの名前を知らないと答えた。

「つまり、相手はたまたま堤育子を襲ったんだろうな。まさか、知り合いだとも思わなくて」

「でも、考えてみたら変ですね。育子が本当に相手の顔を見て、そのことを隠してるんだとしたら、犯人の方だって育子を見てるはずです。知り合いなら、その時点で分かるじゃないですか」

さすがの昂一も、そこまでは考えなかったに違いない疑問が、後から後から湧《わ》いてくる。年がら年中、汗を拭《ふ》いている玉城と並んで歩きながら、貴子は次々に新しい可能性を考えなければならなかった。

「被害者は、知ってる。加害者は、知らない」

「そんなこと、あるでしょうか」

「まあ——芸能人とか」

「——テレビ観《み》て、右手に怪我《けが》してるアイドルでも探しますか」

だが、貴子たちの推理の通りにレイプ犯が堤育子の知り合いで、また貴子たちの推理とは逆に、犯人の方でも育子の顔を見知っていた場合には、彼女は再び襲われる危険がある。そのことを考えると、被害に遭った翌朝から、表面上は何ごともなかったかのように新聞社に出勤し続けている育子の身辺に気を配ってやらなければならない気もする。

「考えてることは分かるが、これ以上の人員は割《さ》けんぞ。そうでなくとも、他の事件だって片づかないまんまなんだ」

せめて会社の行き帰りだけでも、育子を追尾することは出来ないものかと課長に相談したところ、あっさりとそう言われた。そんなことだろうと思っていた。だが貴子は、引き下がりたくなかった。

「だって、二度も同じ被害になんか、遭わせたくないんですよね。一度だってとんでもないのに。どうしても」

貴子は、他言しないで欲しいと念を押した上で、玉城には以前の自分の体験を話していた。さほど長いつきあいというわけでもないが、彼には言っても良いような気がしたからだ。その時、少なからず驚いた表情を見せていた玉城は、それならば自分たちだけで動くことにしようと言った。

「俺ら二人だけだから限度はあるけど、まあ、帰宅時だけでもちゃんと確認できれば、ほぼ大丈夫だろうから」

毎晩、どちらか一方が育子のマンションの見えるところで張り込む。そして、育子が無事に自宅に帰り着き、部屋の明かりが灯《とも》ったことを確認したら、そこで張り込みを終える。

「その代わり、疲れるぞ。大丈夫か」

貴子はもちろん、とうなずいた。淡々としているが、貴子の意図をくみ取り、当たり前のように動いてくれる相方が有り難かった。機捜時代に組んでいた八十田《やそだ》も好感の持てる相手だったが、彼は興奮すると手のつけられなくなるところがあった。今回の相方は、それに比べてずっとクールだ。

「外見は暑苦しいんだけど、中身は爽《さわ》やかなのよね」

「だからって惚《ほ》れるなよ」

明日はイタリアへ発《た》つという前の晩、昂一は電話で「たのむぞ」と言った。

「どうかなあ。一緒にいる時間からすれば、玉城さんの方がずっと多いしね」

「おい、そうやって俺を威《おど》すのか。これで何かあったら、俺、本当に女嫌いになるからな」

「私はべつに構わないわよ。他の女のことなんか、いくらでも嫌いになってもらったって」

「そうやって、人から人生の楽しみを奪うようなことを言うなよ」

「イタリア女を見ても嬉《うれ》しくも何ともなくなればいいのに」

「残念ながら、そうはならねえな、絶対に」

「何よ。裏切ってやる」

「そんなこと言ってると、今度襲うぞ」

「現行犯逮捕してやる」

そして昂一は旅立っていった。世間はそろそろ夏休みの雰囲気になりつつあった。日中、旧安田庭園の辺りなどを通ると、見事な蟬時雨《せみしぐれ》が聞こえてくる。部活の高校生が、かけ声をかけ合いながら一列になって走り過ぎるときには、何ともいえない汗くささが鼻孔を刺激した。

三日が過ぎ、五日が過ぎた。事件から二度目の当番明けの日は、消耗しきった体力を取り戻すかのように、ひたすら眠って過ごした。翌日は公休日だったから、たまりにたまった洗濯物を片づけ、部屋にも掃除機をかけて、貴子は夕方からバイクで実家に帰った。

「イヤだわ。そんなに日に焼けて。ちゃんとお手入れしなさいよ。もう若くないんだから。シミだらけになるからね」

久しぶりに両親と食卓を囲み、母の小言などを聞いているうちに、だんだん明日のことを考え始める。川島宏恵が襲われた日から、堤育子が襲われるまでの日数などを考えると、そろそろホシが動き出して良い頃のような気がする。

——心配要らないんだろうか。

今ごろは、玉城が育子のマンションを張り込んでいるはずだ。あくまでもホシが育子のことを知っていると想定して、そうしている。だが、犯罪者は往々にして予想を裏切った動きを見せる。来ると思えば来ない。知っていると思えば——。

それならば、やはり別の女性を狙《ねら》うだろうか。いつ？　まさか今夜。貴子がこうしている間にも。

「ちょっと、思い出したことがあるから。帰るわ。ごちそうさま」

何か言いかけて呆気《あつけ》にとられている両親を尻目《しりめ》に、貴子は冷たい麦茶を飲み干して、そそくさと帰り支度を始めた。母は、以前ほどには文句を言わず、ただ「もう」と眉《まゆ》をひそめただけだった。

埼玉の実家から隅田川東署管内までは、外環自動車道から中央環状線を経由して高速向島線まで、高速道路を利用すれば意外なほどに短時間で行くことが出来る。この季節、道路はいつまでも日中の熱を残していたし、車から放出される熱も相当なものだが、それでも走りさえすれば、やはり気持ちが良かった。そういえば、ずい分長い間、昴一とツーリングに出ていない。最近は二人とも、めっきり車で移動することが増えていた。彼が帰ってきて落ち着いたら、秋の気配を探りに行くのも良いかも知れない。バイクで走っている限り、季節は常に、少しずつ先を行く。

「へえ、音道ってバイクに乗るんだ」

高速道路を向島で下りて、さらに隅田川に沿って街を南下し、堤育子のマンションが見える辺りに停めていた玉城の車を見つけたのは、午後九時を少し回った頃だった。最初、ヘルメットを被《かぶ》ったままで運転席の窓を叩《たた》き、中をのぞき込んだ貴子に、玉城はぎょっとした顔をした。そして、ヘルメットのシールドを上げて笑いかけた貴子に、彼はまた目を丸くした。
「実家に行った帰りなんです。何となく、気になって」
「堤育子が？　彼女、今夜はまだ帰らない」
「彼女がっていうより、ホシの動きが」
玉城は、輪郭のくっきりとした二重まぶたの瞳《ひとみ》を動かして「何か、予感があるか」と言った。予感というほどはっきりしたものではないと言おうとして、貴子が曖昧《あいまい》に首を傾《かし》げた、その時だった。車載の無線がピーピーと鳴った。
［隅田川東管内、女性の悲鳴を聞いた。場所、東駒形四丁目。開局、どうぞ］
［隅田川東一、横川二丁目］
［隅田川東一、了解。東駒形四丁目三十二番四号。マンショングリーンビレッジ。通報者は同じマンションの四〇一号室、山脇《やまわき》という男性。『たすけて』という女性の悲鳴が聞こえた模様。続いて逃げていく黒い人影を見た——］
貴子はヘルメットのまま、身を乗り出して耳を澄ませ、そして、玉城を見た。

「行ってみましょうか」

「いや——今からじゃあ、間に合わない。それより、車を使ってるとすると——」

「——高速の入り口に行ってみましょう」

「乗るか」

玉城が車のエンジンをかけながら言った。貴子は「私はバイクで」とだけ言って、自分のオートバイに駆け戻った。久しぶりに血が騒ぐ。緊張が高まってきていた。

——だけど、どんな手がかりが？

一体、どんな車に注意を払えば良いのか。運転の仕方とドライバーだけ見て、果たして勘が働くものだろうか。だが、あれこれと迷っている場合ではなかった。玉城の乗った車がウィンカーを点滅させ、静かに発進していく。貴子も夜更《よふ》けに向かう町を、そろそろと走り始めた。

ものの一分もかかるかかからないかで駒形の入り口に到着する。ごく普通の住宅地の一角から、ひょいと曲がれば首都高に乗れる印象の、静かで目立たない入り口付近に、貴子は玉城とは距離を置いてバイクを停めた。エンジン音が止《や》むと、頭上を通過する車の響きの方に、ジイジイと夏の虫の音が聞こえた。

五分経過。

車は一台も現れない。十分経過。宅配便のトラックと、バイク急便が一台ずつ、さらに十三分が経過したところで、アベックが乗ったワンボックスカーが通過した。せっかく高ぶっていた気持ちが早くも萎《な》えそうになる。やはり、単なる見当違いだったか。犯人は、まったく異なる方法で逃走したのかも知れない。貴子は携帯電話のボイスコマンドを使って玉城の携帯を呼び出した。マイクとスピーカーをヘルメットに装着し、携帯電話やトランシーバーと接続すれば、バイクで走行中も他者と連絡を取り合えるような、少し前ならば警察の備品以外では考えられなかったような道具が、今は普通に市販されるようになった。

数回の呼び出し音の後で電話に出た玉城は「音道か」と驚いたような声を出した。

「来ないですね」

「これが、二人で動く限界だしな」

「やっぱり、難しいものでしょうか」

急に、がっくりと疲労を感じそうになる。馬鹿《ばか》みたい。明日だって早いっていうのに。何も、せっかくの休みの日にまで、出てくることもなかったと、つい腹立たしさがこみ上げてきたとき、ふいに曲がり角から一台の車が現れた。萎えかかっていた気持ちが一瞬、奮い立ちそうになった。だが、見えてきたのは黒塗りの高級車だ。ナンバープレートは緑色。

——なんだ。ハイヤー。

向島の料亭あたりで食事をした、どこかの偉い人でも乗っているのだろうか。結構なことだ。つい舌打ちしそうになり、あっさり視線を外そうとして、その時、車のヘッドライト上部から出ているアンテナが目に止まった。三角形の、白い旗が結わえつけられている。少し離れた距離からでも、その旗に染められた見覚えのあるマークが、はっきりと見て取れた。

東西新聞。

少し前に、本社を訪ねたばかりの新聞社だ。そして、そこは堤育子の勤務先でもある。貴子は何となく割り切れない、不快な気分になった。偶然にしても、出来過ぎだ。呑気《のんき》に食事か何かしているお偉いさんは、このすぐ近所でレイプされそうになった若い女性記者の存在など、知る由《よし》もないのだろう。

——偶然にしても。

頭の中で何かがぽーんと弾《はじ》けたような気がした。何を考えるよりも早く、貴子はバイクのキーを回し、ギアを踏み込んでいた。車は静かに、滑るように走っていく。

「どうした、音道。誰か見えたのか」

すかさず玉城から電話が入った。

「東西新聞の車です。何となく、気になって」

どうせ空振りなら、久しぶりの追跡ごっこをするくらいの気持ちでいた方が良いと思った。とりあえず相手の車のナンバーを読み上げ、貴子は首都高速六号線を南下していく車を追った。貴子の視界には、都心に向かう光の列と、けだるい都会の夜が広がっていた。

やがてハイヤーは箱崎、江戸橋の各ジャンクションを抜けて都心環状線に入り、さらに海岸通りを南下していった。少し来ない間に、この界隈《かいわい》はまた何かしら雰囲気が変わったようだと思っているうちに浜崎橋から芝公園を通過した。

「今、飯倉《いいくら》の出口です。ここで下りるようですね」

「相手がブンヤなんだとしたら、後から言いがかりをつけられないように気をつけろよ。ナンバーは控えたんだから、明日になれば身元は洗える」

「せっかくここまで来たんですから、最後に相手の顔だけ見て、今日はそのまま上がります」

玉城の「お疲れ」という声をヘルメットの内側に装着したヘッドホン越しに聞き、貴子は一般道に下りたハイヤーを追って、夜の都心を走った。

いくつかの角を曲がり、信号に阻《はば》まれそうになりながらも、何とか見失わずに済んだ。やがて車は都心とは思えないくらいに闇《やみ》の深い、ひっそりとした住宅地に入り込む。こうなってくると、常にバックミラーに映るひとつのヘッドライトは嫌でも相手のドライバーの注意を引いてしまう。そろそろ潮時だろうか、追尾にも限界があると考え始めたとき、前方でハザードランプが明滅し、ブレーキランプが赤い光を散らした。貴子は咄嗟《とつさ》に自分のバイクのヘッドライトを消してスピードを落とした。

瀟洒《しようしや》なマンションの前だった。停車したハイヤーからは背広姿の運転手がまず降りてきて車を回り込み、後部座席のドアを開ける。現れたのは一人の男性だった。だが、遠い上に暗くて、相手の様子はほとんど見ることが出来ない。貴子はヘッドライトをハイビームにしたうえで点灯させ、わずかにスロットルを回した。

徐行で近づく貴子のバイクが、二人の男の姿を捉《とら》える。ハイヤーの運転手が眩《まぶ》しそうな顔をしてこちらを見た。同時に、後部座席から下りた方の男も目の前に手をかざした。小脇《こわき》に鞄《かばん》を抱えている男の右手には、白い包帯が光って見えた。

6

男の身元は翌日、簡単に判明した。中平敏人《なかひらとしひと》、四十八歳。東西新聞社政治部副部長。それから瞬《また》く間に、貴子たちは中平敏人という人物について調べ上げた。

「政治部の副部長？　そんな男が怪しいっていうのかい、おい」

貴子たちも驚いたが、都筑課長らの驚きぶりは、それ以上だった。だが、中平が二週間ほど前から右手に包帯を巻いていることは複数の証言から間違いがなかったし、また、東西新聞社と契約しているハイヤー会社の証言によって、中平はこの半年あまりの間、月に三、四回から五、六回の割合で夜間から深夜にかけて、隅田川東側の、主に墨田区本所の界隈《かいわい》に出向いていることも判明した。

「最終的な行き先については、具体的なことは我々には分かりません。中平デスクは、いつも『ここで待っていてくれ』とだけ言い残して、どこへ行くとも仰《おっしゃ》いませんからね。まあ、取材活動の一環として、色々あって当然ですから、私たちも、そういうことは聞きません」

運転手の一人は、いかにも几帳面《きちょうめん》そうな顔で言った。さらに配車記録を調べたところ、中平が隅田川を越えてやってきていた日と、婦女暴行事件が発生した日はことごとく符合していた。

中平は血液型Bで、それは被害者に残されていた体液の血液型と一致しており、また、左利《き》きであることも判明した。身長一メートル七十二センチ。都内有名私立大学卒業。結婚および離婚歴、共に三回。初婚の妻と二度目の妻との間に子どもが二人ずついる。現在は港区内のマンションに一人住まい。昨晩、貴子が追跡してたどり着いた住所だ。

「四十八だぞ、おい。そんなことするかな」

「第一、政治部の副部長っていったら、そんなことしてる暇なんか、ありゃあしないんじゃないか」

その日の夕方、緊急に召集された刑事課内での会議では、あくまでも懐疑的な意見が根強かった。だが、ここまできてしまえば、中平本人から事情を聞くと共に、鑑定に持ち込むという方法もある。何しろ、こちらには体液という物的証拠が残されているのだ。

「それなら、まず堤育子の聴取だな」

日下部係長が難しい顔で言った。それは最後の手段にして欲しいと願っていた貴子は、思わず眉《まゆ》をひそめた。育子の気持ちを刺激したくない。いわゆるセカンド・レイプといわれるものは、一度経験したことを何度も繰り返し思い出させられ、語らせられることで起こる、追体験に等しい精神的苦痛のことだ。

「堤育子の場合は、あくまでも未遂だったんじゃないか。それに音道の言う通り、もしも本当に彼女がホシを目撃していたんなら、ここは積極的に捜査に協力してもらわにゃあ、ならんだろうが」

「それは、そうですが——」

「何しろ相手が相手だ。名指しで容疑者扱いして、後から間違いでしたではすまんのだぞ。下手に刺激して、つまらんことにはなりたくない」

及び腰とも取れる意見だった。一体、新聞社の何を怖がる必要があるのだと、つい突っかかりたくなる。日頃、警察以上に正義を振りかざす部分さえありながら、内部にそんな犯罪者を棲《す》まわせておくことなど、以《もっ》ての外ではないか。

「堤育子と中平の関係がどういうものだかは分からないが、彼女だって、自分をあんな目に遭わせたという点では、本心では絶対に相手を許せない気持ちでいるはずだ。だからここは、思い切っていくしかないんじゃないか」

石松主任も言う。だが、堤育子という女性はなかなか勝ち気な様子だし、たとえ咄嗟の判断だったとしても、中平を庇《かば》おうとするあまり、まったく無関係の昂一に罪をなすりつけようとまでしたのだ。そう素直に本当のことを話すかどうかが疑問だった。

「理詰めでいくしかないだろう。理屈なら、任せておけって」

だが玉城にも言われて、結局、貴子もうなずくしかなかった。自分たちは堤育子の敵ではない。あくまでも味方として、彼女たちを傷つけた男を捕まえたいのだと主張するつもりだった。

その晩、例によって決して早いとはいえない仕事帰りの堤育子を待って声をかけ、そのまま隅田川東署まで足を運んでもらうことにした。最初のうちは「こんなに遅くに」と文句を言い、次に、あの日のことは「思い出したくない」と言い張る育子を、貴子は玉城と交代で根気よく説得し続けた。やがて、思い出したくないから「覚えていない」へ、覚えていないから「見ていない」へと、育子の表現に変化が見えてきた。しかし、いくら今夜にでも新たな被害者が出る可能性があるのだと言っても、彼女はまだ頑《かたく》なな表情を崩そうとはしない。貴子たちは何とか、堤育子自身の口から中平の名を引き出したかった。

「あなたが噛《か》みついたって言ってた手ね、なかなか治らないみたいじゃないですか」

深夜の零時を回っていた。彼女の瞳《ひとみ》に、明らかな動揺が現れた瞬間だった。貴子は、堤育子から視線を外さなかった。

「もう、ずい分たつのにね。ばい菌でも入ったのかしら」

「――知りません」

「この季節だから、化膿《かのう》しやすいのかも知れない。色々と不自由でしょうにね。まあ、同情の余地はないんだけど」

落ち着きなく瞳が揺れる。

「あの人は、あの手で、まだやろうとしてたのよ。昨日」

堤育子は一瞬、険しく眉根を寄せ、あたかも今、目の前に、薄汚いレイプ犯がいるような顔つきになった。

「――本当ですか」

「幸いなことに、今回も失敗だったけど」

「また――また、やったんですか」

薄い水色のブラウスを着た育子の肩が、一瞬、すとんと落ちたように見えた。彼女は深々とため息をつき、しばらく唇を噛んでいた。

「――そんな人じゃ、なかったんです。絶対に、そんなことをするような人じゃ」

「じゃあ、どんな人だったんです?」

「いつも、颯爽《さっそう》としていました。少なくとも私は去年、本社に異動になってすぐに、ああ、すごく目立つ人だなあと思ったんです。家庭的には落ち着かないとか、色んな噂《うわさ》も聞きましたけど、でも、いかにも新聞記者らしく見えたし、本当に肩で風を切って歩いてるみたいでした。あの頃の中平デスクは――」

言いかけて、彼女は初めてはっとした表情になった。貴子は黙って彼女を見つめていた。

「――あの頃の中平デスクは――本当に、周りにオーラみたいなものが見えると、思いました」

「それは、中平敏人のことだと思っていいのかな。政治部の」

堤育子は、ただ目を伏せることで、玉城の質問に応《こた》えた。貴子は玉城と目顔でうなずきあった。どうやら、昨日の「休日出勤」が無駄ではなかった。

私は、と、堤育子は続けて呟《つぶや》いた。そして、長々と震えるような息を吐き出した。

「私は――憧《あこが》れてたんです。私も出来れば政治部に行きたいって思ってましたし。中平デスクみたいな人の下で働いてみたいって」

「実際には、知り合いではないんですか」

「――向こうは、私のことなんか知らないはずです。だからあの晩も」

あの晩、堤育子は背後から羽交い締めにされた時にバッグを振り回して激しく抵抗した。結果、バッグが相手の頭に当たり、レイプ犯は一瞬、よろめいたという。その時に、育子は男が被《かぶ》っていた目出し帽を摑《つか》んで引き上げた。すると、帽子の下から確かに見知った顔が現れたのだという。

「まさか、と思った途端に、手から力が抜けちゃって。でも、デスクは即座に私を殴ったんです。そして、首の後ろを押さえつけられて、『この野郎』って言われて——その時に、ああ、やっぱり、と思いました。あの声は——デスクに間違いありませんでしたから」

育子は混乱したという。まさか、なぜ、どうして、という思いで頭が一杯になった。だが何よりも、とにかく怖かった。無我夢中で相手の手を嚙むと必死でエレベーターのボタンを押して乗り込み、階下に降りるまでも、下で待ち伏せをされているのではないかと思って叫びそうだったという。やっとマンションを飛び出して、たまたま前を通りかかった男に助けを求めた瞬間、助かったと思いながら、だが、もう一方の頭の中で「待てよ」という思いが閃《ひらめ》いた。

「今のは本当に中平デスクだったんだろうか、人違いじゃないのか、もしも中平デスクだとしたら、どうしたらいいんだろうって。こんなひどいゲームなんか考えられないし、とか。本当に何か、もう、わけが分からなくなりました。怖かったし、何だかものすごく腹が立っていたのに、でも、デスクのことは私が守らなきゃいけないんじゃないか、そうしないと、大変なことになるんじゃないか、とも思って——」

貴子は何かの本で読んだことを思い出していた。レイプ犯は、被害者にとってまったく未知の人間である場合ばかりでなく、夫や恋人、また顔見知りである確率も、決して低くないという。だが、親しい間柄であればあるほど、被害者は訴え出ることが出来ない。相手の立場を思い、自分の立場を考えて、結局は泣き寝入りする場合が非常に多いというのだ。

「私――あれからずっと、待ってたんです。デスクの方から、私に連絡をくださることを。一度、廊下ですれ違ったこともありました。でも、デスクは私のことなんか気にもとめていなくて、じゃあ、私はどうして襲われなきゃならなかったんだろうって思って。余計に、わけが分からなくなってたんです――」

あれほど頑なに口をつぐんでいたのに、堤育子は堰《せき》を切ったように話を続けた。おそらく彼女は、中平敏人に対して単なる憧れ以上の感情を抱いていたのではないだろうか。年齢差も大きいし、立場も隔たっているが、そんな気がした。そして、彼女のある種の母性本能が、中平を守り抜こうとさせていたのだろう。

「それで、堤さん。中平敏人を、あなた、告訴する意志はありますか」

喋《しゃべ》り続けていた堤育子がようやく口をつぐんだとき、玉城が静かな口調で言った。

育子は再び逡巡《しゅんじゅん》する様子を見せたが、やがてため息混じりに「仕方ないでしょうね」

と呟いた。

「私、一人っていうわけじゃないんですものね。他の人のことまで、あんな目に遭わせてたっていうんですものね」

期待していたような、すっきりした返答ではなかった。貴子が何か言いそうになるのを察したのか、玉城が早々と「それがいいでしょう」とうなずいた。

「近くで見てみたいですね、中平って男。あんな若い女の子が憧れるなんて、やっぱり相当、魅力的なのかしら」

「明日、とっくり見られるさ。まあ、四十八でレイプし続けるくらいだから、どっか異常にバイタリティがあるんじゃないか？　それがセックスアピールにつながってるとか」

堤育子をマンションまで送り届けて、翌日は朝一番で中平に任意同行をかけることになったから、その日は署に泊まることにした。

「三回も離婚するっていうのは、確かにエネルギーありそうな感じ、しますけど」

貴子に離婚歴があることは、もはや職場で知らない者はいない。最近は貴子自身、そのことを口にしても特段、胸が痛むということもなくなった。

「私なんか一回で懲《こ》りたもの。もう、くたくたになったし」

「そういう奴《やつ》ばっかりじゃないんだろうな。一人に戻って、結局、女に困ったってところかね」

「困ったからって誰も彼も、レイプしようなんて思いやしないでしょう?」

「まあな。俺なんか、そんな元気も、ありゃしないよ」

久しぶりに刑事課の部屋で缶チューハイを飲みながら、貴子は、玉城のひと言につい苦笑した。それにしても、分からないものだと思う。本当に。人のこころというものは。

翌朝、貴子たちは総勢六人で港区六本木のマンションに向かい、寝起きの中平敏人に任意同行をかけた。そう体格に恵まれている方ではないが、寝乱れ髪の下の眼光はなかなかに鋭く、口元にも精悍《せいかん》な雰囲気が漂う中平は、確かにある意味では魅力的に見えないこともなかった。だが肌の色つやは悪く、全体にどこか荒《すさ》んだ雰囲気が漂っている。

「隅田川東? そんな署に呼ばれる理由は、こっちにはないけどね」

Tシャツにトランクス姿のままの中平が眉間《みけん》に皺《しわ》を寄せて呟いたときに、貴子はなるほどと思った。早朝ということもあり、隣近所に気を使ったような声は、むしろ囁《ささや》きに近かった。だが外見に似合わない、野太く低い声は、堤育子でなくとも印象に残る。この声が、女の耳元で「おとなしくしろ」と囁けば、確かに恐怖を煽《あお》るに違いなかった。

「ちょっと一昨日《おととい》のことを、お訊《たず》ねしたいもんですからね。中平さん、一昨日の夜、どこにおられました？」

一昨日、と、中平は大きな絆創膏《ばんそうこう》を貼《は》った右手で、頰の髯《ひげ》を気にするそぶりを見せながら、宙を見上げている。どこまでとぼけるつもりなのか。貴子は、いっそ今ここで、その絆創膏を引き剝《は》がしてやろうかと思った。

その日の午後六時半、中平敏人は強姦《ごうかん》および強制わいせつ等致傷、さらに住居不法侵入の容疑で通常逮捕となった。当初は居丈高な態度を崩さずに、こちらの聴取に対してても聞く耳さえ持たないように見えた中平だったが、やはり堤育子の証言が決め手になった。

「——あれ、うちの社員だったんですか」

その事実を知らされたとき、中平は一瞬、呆《ほう》けたような表情になった。そして、彼女なりに中平を庇《かば》おうとしていたのだと説明したところ、口の端をいかにも皮肉っぽく歪《ゆが》めた。

「そんなことで、ひよっこみたいな姉ちゃんに庇われるようになっちゃあ、本当、オシマイですよね。何もかも、おしまいだ」

舌打ちとため息を何度も繰り返し、しきりに髪を撫《な》でつけたり、顎《あご》をさすったり、落ちつかないそぶりを見せていた中平は、最後に「ちくしょうっ」と取調室の机を拳《こぶし》で殴りつけた。辺りの空気を震わせる、思わず鳥肌が立つような声だった。絆創膏を貼ってあった傷口は、貴子が予想した通り、やはり化膿して悪化したのだという話だった。机を激しく殴りつけた後、中平は、左手でその傷口を庇いながら、ぽつり、ぽつりと供述を始めた。

中平敏人の人生が大きく変わってしまったのは昨年、彼が二十年あまりにわたって張りついてきた与党の大物代議士が失脚したためだという。

政治部に配属された新聞記者は、特に与党の場合は各派閥に対する担当が割り当てられ、その派閥の代議士にどこまで気に入られ、懐《ふところ》に入り込むかで、その後のすべてが決まるといわれている。政治家のもとには、国会関係だけでなく、国際、経済、社会、果ては芸能関係にいたるまで、ありとあらゆる情報が集まる。代議士の信頼を勝ち得てこそ、それらの情報に触れることが可能になるし、そこから特ダネが生まれないとも限らない。それだけに政治部記者の多くは、家庭生活もプライバシーも、すべてを犠牲にして政治家に張りつくものが少なくない。

「最初の女房も、二番目の女房も、結局はそういう暮らしに耐えられなくなったんでしょう。気がつけばアル中。気がつけばカード破産だ。子どもたちは皆、好き勝手なことをやってましたよ。だが、こっちには構ってやってる暇なんかなかった。しょうがないんです。何せ、そういう仕事なんだから」

そんな中で、中平は仲間内でも群を抜いて良い記事をものにしてきたらしい。彼の大切なニュースソースは、最初はある派閥議員の秘書であり、今や派閥トップとうたわれるまでになった代議士だった。中平の出世は、そのまま代議士の出世と足並みを揃《そろ》えていた。彼のためならば、中平はどんな面倒も厭《いと》わなかったし、事実、女の問題も金の問題も、それなりに関わりを持ち、相当に危ない橋も渡ったらしい。

だが昨年、代議士は失脚した。途端に、様々な噂が乱れ飛び、中平までが渦中に巻き込まれた。そして結局、中平の未来は閉ざされた。あまりにも一人の代議士に肩入れをし過ぎたために、もはや引き返すことの出来ないところまで来ていた。

「そうなってみれば、馬鹿《ばか》みたいなものですよ。二十年以上もかけて築き上げてきたものの代わりなんて、そう簡単に作れるはずもない。あとは単なるデスクとして、誰かが書いた記事を右から左へ流すだけです」

急に暇になり、帰宅時間が早まってみれば、三人目の妻が浮気している事実が発覚した。中平が責め立てると、まだ三十そこそこだった若い妻は、すべては中平が悪いのではないか、今さら何か求められても、自分には中平に与える愛情も既にないし、無論、老後を見るつもりなどもないと捨て台詞《ぜりふ》を残して出ていった。

「その時ですよね。もう、何もかも、どうでもいいやって気になりました」

今さら、昔の記者仲間の前に姿をさらすことはためらわれ、また元来、アルコールを受けつけない体質の中平は、酒に逃げることも出来ずに、ひたすら自分の内に孤独と怨嗟《えんさ》をため込んでいった。そしてあるとき、結婚前に三番目の妻が住んでいた界隈《かいわい》に行ってみる気になった。もしかすると彼女が舞い戻っているのではないか、もしもそうなら、改めて言ってやりたいことがあると思ったという。今となっては未練か恨み節かも分からないが。

「立場だけはデスクのまんまですから、ハイヤーは好きに使えます。もともと、自分がどんな取材活動をしてきたかなんて喋る馬鹿はいないですからね。また何か、新しいネタでも探してるとか、部長はそんな程度に考えていたかも知れません」

ことに夜勤明けの深夜など、以前ならば番記者たちがたまり場にしているクラブなどに行っていたことを思うと、余計に虚《むな》しさの埋めようがなくなって、怒りが燃え上がった。ある晩、ハイヤーでこの界隈に乗りつけ、運転手にはいかにも用があるようなふりをして待機させて、ただあてもなく町なかを歩き回っていたときに、一人で歩いている女を見かけた。赤茶色の髪をして、後ろ姿がどことなく三番目の妻に似ていたという。

「不思議でしたね。あの時突然、女が恐怖に怯《おび》える顔、死にそうに怖がる顔を、見たくなったんですよね。たまらなくね。女っていうのは、やっぱり何だかんだ言ったって、男の言うことを聞くようじゃなきゃあ。ねえ」

中平は、また口の端だけを歪めて、にんまりと笑いながら貴子の方を見た。その瞬間、貴子はこれ以上ないほどの悪寒《おかん》が駆け上がるのを感じた。朝は一瞬、精悍にも思った中平の目は、確かに残忍で野卑で、何ともいえない好色な光をたたえていた。それは間違いなく、レイプ犯の目だと、貴子の本能が告げていた。

〈――そんなわけで、自宅から目出し帽やナイフも発見。ナイフは、何とペーパーナイフでした。ちょっとしまらない感じだけど、そのお陰で怪我人《けがにん》が増えなかったことくらいが救いでしょうか。明日になればニュースでも取り上げられるだろうし、もっと被害者が出てくる可能性ありっていうところ。東西新聞は、どういう扱いをするか、ちょっと興味あるって感じです。うちの実家も東西だったけど、母のことだから、「やめようかしら」なんて言い出すかも〉

その晩も、帰宅は深夜になった。眠くてたまらなかったが、何とか我慢して、貴子は自分としては長めのメールを昴一に送った。少なくない女性被害者に混ざって、唯一《ゆいいつ》、男性でありながらレイプ犯罪に巻き込まれた格好の昴一には、誰よりも早く事件の顚末《てんまつ》を知る権利があると思った。

〈――捜査協力に感謝。そして、これで名実共に汚名返上。おめでとう〉

グラスの底に残っていたバーボンをひと息に飲みほして、やっと最後にメールの送信ボタンを押し、よろけるようにしてベッドに向かうと、あっという間に眠りに落ちてしまった。

翌朝、スタンドもテレビも点《つ》けっぱなしの代わりに、電子蚊取りのスイッチは入れ忘れて眠ってしまったことに気がついた。足と腕が数カ所と、しかも瞼《まぶた》を蚊に食われていることに気づいて、貴子は思わず悲鳴を上げそうになった。生乾きのままで寝たお陰で髪もぼさぼさ、まるで怪談話の主人公だ。

「これじゃあ、カイシャに行かれないっ。駄目じゃないの、今日はマスコミだって押しかけてくるんだから」

すっかり腫《は》れ上がった顔を鏡に映し、貴子はタンクトップのままでつい地団駄を踏んだ。どうしよう、こんな場所に薬が塗れるものだろうかと考えながら室内を歩き回り、やはり電源を入れたままだったパソコンに気づいた。覗《のぞ》いてみると、昂一からメールが届いていた。

〈こちらこそ。一度も疑わずにいてくれたことに感謝。せいぜい、変な虫がつかないようにおとなしくしているように〉

手遅れだ。もうこんなに食われてしまったのにと思いながら、貴子は腫れ上がった瞼を指でこすっていた。

解説

縄田一男

もしあなたが、熱心な〈音道貴子シリーズ〉の愛読者なら、これまでの作品を読み返してどんな場面が思い浮かぶだろうか。

見事、直木賞の栄冠を勝ち取った、音道刑事初登場作『凍える牙《きば》』における、さっそうとオートバイを駆りつつ、人を襲うように調教されたウルフドッグ・疾風《はやて》を追いながらも、人間の手によってそうした宿命を負わされた疾風の純粋さに打たれる場面での述懐、「――これが、疾風。オオカミの血を受け継ぐ犬。／思っていた通りだった。強烈な存在感。威厳。気品。知性」「まるで、夜明けの谷間に漂う雲のように、疾風は、ただそこにいた。うなり声も上げず、その静かな表情からは、怒りも、憎しみも感じられなかった」と、堪《たま》らない気持ちになるシーンであろうか。

或《あ》るいは、第二長篇『鎖』で犯人グループに監禁され、心身ともにボロボロになりつつも、犯人たちの中で、かつて関係を持ったことのある女性＝〝さらわれっ子〟加恵子を立ち直らせようとするくだりであろうか。

だが、こうした迫力の二長篇に対して思いをめぐらせつつ、あなたは、待てよと、〈音道貴子シリーズ〉には、こうした長篇とは別の魅力を持った数々の短篇があったことを思い出されることであろう。シリーズの短篇集は、これまで『花散る頃の殺人』と『未練』が刊行されているが、この二巻に収められた作品は、どれも皆、切れ味鋭く、作中人物の人生の一断面を見事に提示して読者を飽きさせることはない。

私は、先程、『鎖』のことを記した箇所で、犯人たちの中でかつて関係を持ったことのある女性、と記したが、因果なことに、刑事とは、他者と犯罪を通してしか関係を結ぶことが出来ない商売である。そして、これらの短篇群を見渡して感じるのは、貴子が事件の謎《なぞ》を解いた時に物語が終わるのではなく、彼女が犯人、もしくは作中人物の人生を理解した時に物語が閉じられる、という点ではあるまいか。

そして、短篇群のもう一つの魅力は、作者が物語をむりやり、推理小説という鋳型《いがた》に押し込むことなく、一言でいえば〝音道貴子の生活と意見〟とでもいった、限りなく普通小説に近い秀作があることだ。

例えば、『花散る頃の殺人』に収録されている作品でいえば、それは「茶碗酒《ちゃわんざけ》」。大晦日《おおみそか》の警察署の慌《あわただ》しさを、さり気ないスケッチ風に描いた絶妙の短篇だ。こういう作品が書けるのが作家の芸というものだろう。そして『未練』では、貴子が『鎖』の事件で受けた精神的ダメージから再生を果たす「山背吹く」や、病院で眠り続けている妻をこれも奇《く》しくも大晦日に島本刑事が見舞いにいく「殺人者」。「もはや辛《つら》いとか、悲しいというのとも異なる。ただ、やり切れない」という島本の心情に「去年、一昨年、その前の年の大晦日が思い出された。それにしても大晦日というと、なぜだかいつでも上天気だ。上天気の乾いた青い空の下を、島本はいつでもこの道を歩き続けてきた」という文章が対比されるから、この掌篇に近い長さの作品は優れた出来栄えとなっているのである。乃南アサの筆はどこまでも周到である。

そして、いまここに短篇集〈女刑事音道貴子〉の第三弾『嗤《わら》う闇《やみ》』（二〇〇四年三月、新潮社刊）をお届けすることになった。

シリーズの愛読者には、いわずもがなのことながら、これまで音道刑事は、警視庁刑事部の機動捜査隊員として、東京都西部の第三機動捜査隊立川分駐所に所属していたが、このたび、晴れて巡査部長に昇進し、それに伴って隅田川東署に転勤となった。そして、四つの事件にかかわることになる。

巻頭の一作「その夜の二人」（「小説新潮」二〇〇二年十月号）では、いかにも下町の警察署らしく、錺《かざり》職人の父子の喧嘩《けんか》で幕があくが、平成の下町は、果たして、生活の原風景をたたえ、人情が活《い》きていたかつての下町と同じであったのだろうか。

試みに浜田義一郎監修の『江戸文学地名辞典』（東京堂出版刊）で隅田川を引いてみると、哀《かな》しいかな、「かつては江戸文化の母胎といわれた隅田川も、大正四年の『日和《ひより》下駄《げた》』（永井荷風はこの随筆の中で、隅田川は、全く伝来の審美的価値を失い、巴里《パリー》に於《お》けるセーヌ河の如《ごと》き美麗なる感情を催さしめず、と嘆いている）にしてすでに然《しか》り、現代に至っては墨堤の桜も枯死し、三囲の鳥居は高速6号線下となり、川は濁って都鳥さえ寄りつけなくなっている」と記されているではないか。この辞典が刊行されたのが昭和四十八年だから、その後、何らかの対策は講じられているはずだが、とにかく、其《き》角《かく》が「海苔《のり》すすぐ水の名にすめ都鳥」と詠《よ》んだ頃とは、天と地ほどの差があることはいうまでもない。

ここで余談ながら、これまで東京が変質したことが四回ある。まず、はじめは、関東大震災、二つめは東京大空襲、三つ目は東京オリンピック前後の都市整備、そして最後はバブル全盛期の地上げである。特に最後の変質は、都市の景観ばかりでなく、そこに住んでいた人々の心をも変質させてしまった。かてて加えて、関東大震災以後、東京は、加速度的に地方出身者の街へと変貌《へんぼう》していったのである。

そしてもうどうかここからは、是非とも本文の方を先に読んでいただきたいのだが、「その夜の二人」における、被害者と加害者の関係は、構図的にいえば、下町の義理人情が地方出身者のエゴイズムに敗北したということになるのではないのか。

ここで敢《あ》えて結論からいえば、音道貴子の戦いは、犯罪抑止力を失い、住民の人情を踏みにじる者たち、換言すれば、生活の原風景を破壊しようとする者たちとのそれ、ということが出来よう。

実際、作中に描かれている下町の光景は、情緒とは無縁の寒々としたものである。

いわく、「幹線道路は夕方の渋滞が始まっている。ことに隅田川東署がある界隈《かいわい》は、オフィスビルとマンションばかりが建ち並ぶ一角で、町並みとしてはまるで味気なく、しかも、京葉道路を始めとして、蔵前橋通り、浅草通り、三ツ目通りに四ツ目通り、明治通りと縦横に大きな道路が通っているお陰で、空気が悪い。車のヘッドライトが、ぼんやりと濁っている空気を探るとき、貴子は思わず、ひどいものだと思ってしまう」。

いわく、「空気の濁った下町は、広々とした道路から少しでも外れてしまうと、今度は逆に深い闇に閉ざされる。むしろ、町自体が古いだけにコンビニエンスストアなども数が少なく、さらに街灯も地味で薄暗い場合が多くて、人の密度が濃い割に、ひっそりと淋《さび》しい雰囲気が満ちるのだ」。

更に、連続レイプ犯を追う「嗤う闇」(「小説新潮」二〇〇三年八月号)では、音道刑事が管理の杜撰《ずさん》さが目立つマンションを見て、「嫌な感じですね。狭いし、風通しも悪いし、本当に外から見えづらい」という言葉に、コンビを組んでいる玉城刑事は「そのくせ部外者だって簡単に入り込める。この辺は、そんな建物ばっかりだ。生活様式が変わってるのに、その無防備さだけが、昔の下町感覚なんだ」(傍点引用者)と答えているではないか。

正に日常にひそむ都市のブラックホール――しかしながら、そんな中にあっても、人々は、日々の生活を営なまなければならない。

そこから生まれて来るテーマの一つに都市生活者の哀感というものがあるとするならば、「――人に夢を売って、希望を見せて――それで、僕には何が残ったんだ？」と自問自答する、落魄《らくはく》した往年の映画スターの登場する「残りの春」（「小説新潮」二〇〇二年四月号）などは、その格好のテキストといえるだろう。

そして、このシリーズの面白さに、主人公とコンビを組む、個性的な刑事たちの姿があるが、京都大学農学部出身でノンキャリア、そして、見た目は猛々《たけだけ》しい雰囲気さえあるというのに、きめ細やかな性格の玉城警部補以下、一見、強面《こわもて》だが、鑑識係員の藪内《やぶうち》奈苗《ななえ》から「一見ね、男を売り物にしてるみたいに見えるけど、どっちかっていったら、無駄に大きいって感じじゃないのかしらね」「でも、敵に回すと面倒なタイプだと思わよ」と評価されている金井警部、そして、幼い言動から貴子から説教を喰らうことになる沢木警部補等、正に多士済々《せいせい》ではないか。

そして、コンビといえば嬉《うれ》しいのは、「木綿の部屋」（「小説新潮」二〇〇一年十二月号）に、『凍える牙』で音道刑事とともに活躍、更に『鎖』で彼女の救出に駆けつけた、ベテラン、滝沢が登場していることではないか。滝沢は、はじめ女である貴子を一人前に扱ってくれなかったが、後に「頑固で融通のきかないところは、確かにありますが、仕事熱心な、いい刑事です。根性もあるし肝っ玉も据《す》わってる、女だてらに、よくやってると思いました」と評価するまでに到《いた》る。その滝沢が、ここでは娘の結婚相手に悩む父親として登場。音道にプライベートな一面を見せることになる。

ここで思い起こされるのは、『鎖』において、滝沢が、乱倫極まりない性関係の果てに、性病にかかり、妊娠した少女に親の気持ちを説き、「――おじさんの子、幸せだね」といわれる場面である。その幸せの正体を音道も見ることになるのである。滝沢にもこんな苦悩があった――。そして、音道、滝沢のコンビは、この夏、新潮社から刊行された『風の墓碑銘《エピタフ》』で復活している。

作者は時には刑事たちのプライベートな一面を挿入し、シリーズを奥深いものにしているのである。私が乃南アサの小説を読んでいて、上手《うま》いと思うのは正にこんな時だ。

いずれにせよ、音道は、下町に転勤したばかり。これからどんな事件が彼女を待っているのか。本書のような短篇集においても、その再会の早からんことを祈ってペンを置こうと思う。

（平成十八年九月、文芸評論家）